Bonne lecture !

Elise.

Je mange
avec ma tête

LES CONSÉQUENCES
DE NOS **CHOIX**
ALIMENTAIRES

ÉLISE DESAULNIERS

Je mange
avec ma tête

LES CONSÉQUENCES
DE NOS **CHOIX**
ALIMENTAIRES

Stanké

Une compagnie de Quebecor Media

Catalogage avant publication de Bibliothèque et Archives nationales du Québec et Bibliothèque et Archives Canada

Desaulniers, Élise

    Je mange avec ma tête: les conséquences de nos choix alimentaires
    Comprend des réf. bibliogr. et un index.
    ISBN 978-2-7604-1097-8

    1. Alimentation. 2. Cuisine santé. 3. Santé - Aspect nutritionnel. I. Titre.

RA784.D47 2011   613.2   C2011-941545-3

Édition: Miléna Stojanac
Révision linguistique: Marie Pigeon Labrecque
Correction d'épreuves: Annie Goulet
Couverture, grille graphique intérieure et mise en pages: Clémence Beaudoin
Photo de l'auteure: Sarah Scott

Remerciements
Nous reconnaissons l'aide financière du gouvernement du Canada par l'entremise du Fonds du livre du Canada pour nos activités d'édition. Nous remercions la Société de développement des entreprises culturelles du Québec (SODEC) du soutien accordé à notre programme de publication. Gouvernement du Québec — Programme de crédit d'impôt pour l'édition de livres — gestion SODEC.

Les Éditions internationales Alain Stanké
Groupe Librex inc.
Une compagnie de Quebecor Media
La Tourelle
1055, boul. René-Lévesque Est
Bureau 800
Montréal (Québec) H2L 4S5
Tél.: 514 849-5259
Téléc.: 514 849-1388
www.edstanke.com

Dépôt légal — Bibliothèque et Archives nationales du Québec et Bibliothèque et Archives Canada, 2011

ISBN: 978-2-7604-1097-8

Distribution au Canada
Messageries ADP
2315, rue de la Province
Longueuil (Québec) J4G 1G4
Tél.: 450 640-1234
Sans frais: 1 800 771-3022
www.messageries-adp.com

Diffusion hors Canada
Interforum
Immeuble Paryseine
3, allée de la Seine
F-94854 Ivry-sur-Seine Cedex
Tél.: 33 (0)1 49 59 10 10
www.interforum.fr

À mon père,
qui m'a appris à lire et à regarder
La Semaine verte

SOMMAIRE

AVANT-PROPOS

Un ami en retard peut-il changer une vie? Dans mon cas, la réponse pourrait bien être positive. C'était en 2008, par une belle journée de printemps. J'étais arrivée la première au rendez-vous et j'avais pu me trouver une place sur la terrasse, rue Ontario. Au bout d'un moment, je me suis souvenue que j'avais des livres dans mon sac. Je traînais avec moi la commande que mon copain prof de philo venait de recevoir par la poste. Entre deux titres obscurs, un large volume noir qui sentait bon le neuf et arborait un gorille en couverture: *Éthique animale*[1]. Voilà qui serait plus intéressant à regarder que les étudiants du cégep du Vieux Montréal sortant de leurs cours! J'ai feuilleté quelques pages et me suis plongée dans un chapitre sur l'élevage industriel. Lorsque mon ami est arrivé, une vingtaine de minutes plus tard, j'ai dû refermer le livre sans avoir terminé ma lecture. Mais j'en savais déjà suffisamment. Je ne voulais plus manger de viande.

Qu'est-ce que je mange?

« Qu'est-ce que je mange? » C'est peut-être la question que je me suis posée le plus souvent dans ma vie. « Qu'est-ce que je vais mettre aujourd'hui? » lui livre une bonne bataille. Mais j'ai porté un uniforme pendant tout mon secondaire! Cela dit, au secondaire, je ne me posais pas trop de questions sur mon alimentation non plus. Mes parents me donnaient une allocation de 30 dollars par semaine pour payer mes repas à la cafétéria. Comme plusieurs copines de mon âge, j'avais compris qu'en ne mangeant qu'un sac de chips avec un Coke, j'épargnerais quelques dollars par jour : à la fin de chaque semaine, je pouvais m'acheter un CD avec l'argent économisé.

À l'université, je me suis retrouvée seule en appartement. Et c'est en voyant ma première épicerie pourrir dans le frigo que j'ai réalisé que je ne savais pas cuisiner. La question « Qu'est-ce que je mange? » est devenue d'une actualité brûlante. Remplie de bonnes intentions, j'ai couru acheter *Qu'est-ce qu'on mange?* édité par Les Cercles de Fermières du Québec. Ce grand livre vert (toujours en librairie et à 10 dollars de moins que je ne l'avais payé à l'époque) compilait des recettes classées par type d'aliment : porc, poulet, légumes, pâtes, etc.

J'espérais bien être capable de cuisiner des plats chauds et savoureux comme ceux auxquels ma mère m'avait habituée. Mais je me suis découragée assez vite : dépeçage de poulet, temps de cuisson interminables (« Quoi? Ça prend une heure et quart à cuire? Mais j'ai faim maintenant! »), échecs démoralisants (des muffins sans levure, ça ne lève pas haut), sans parler des montagnes de vaisselle. J'ai adopté quelques recettes de pâtes et complété mon régime de plats surgelés et de repas au restaurant. Voilà en somme comment, pendant de nombreuses années, j'ai répondu à la question : « Qu'est-ce que je mange ? » Sauf, bien sûr, quand venait le temps d'impressionner la visite. Pour de telles occasions, je demandais conseil à Josée di Stasio. Bref, je mangeais ce qui ne me semblait pas trop mauvais pour la santé et pas trop compliqué à préparer.

Mais après avoir lu ces quelques pages, rue Ontario, je me suis rendu compte que je ne pourrais plus manger innocemment un pâté à la viande. Je venais de comprendre une chose très simple : mes choix alimentaires avaient des conséquences. « Qu'est-ce que je mange ? », ma question banale et quotidienne, venait de prendre une tout autre signification.

Lorsqu'on commence à s'intéresser de près à un sujet, on se demande comment on a pu passer à côté pendant tant d'années. Amazon me suggérait des dizaines de titres – pour la plupart des *best-sellers* en anglais – dont je n'avais jamais entendu parler. Je me suis lancée dans l'aventure. Et, peu à peu, j'ai réalisé que les problèmes liés à l'alimentation ne se limitaient pas aux questions d'éthique animale. Le réchauffement climatique, la malnutrition, l'exploitation des travailleurs ou la dégradation de l'environnement, tous ces sujets avait un dénominateur commun : on pouvait les voir comme des conséquences de nos choix alimentaires.

Depuis près de deux ans, je partage mes lectures et mes réflexions sur les réseaux sociaux, sur mon blogue (*Penser avant d'ouvrir la bouche*) et dans mes soupers d'amis. J'ai rapidement constaté que nombreux sont ceux qui, comme moi, essaient de comprendre les conséquences de leurs choix alimentaires.

Je mange avec ma tête est donc le fruit d'une recherche personnelle ; pas celle d'une agronome, d'une éleveuse, d'une nutritionniste ou d'une journaliste. C'est plutôt celle d'une trentenaire qui se demande simplement quoi manger pour souper et qui, comme une enfant de trois ans, ne se lasse pas de demander « Pourquoi ? » quand on lui donne des réponses toutes faites. Et, bien que je sois maintenant pratiquement végétalienne, ce livre n'en est pas un *sur* le végétarisme. On y parle de viande, de poissons, de produits laitiers et chacun pourra y cueillir les bouchées qu'il désire consommer. Cet ouvrage peut être lu de façon linéaire, mais aussi dans le désordre, en mettant certaines sections de côté, comme on consulte un ouvrage de référence au fil des questions qui émergent. Un peu comme un livre de recettes… mais sans recettes.

MERCI MILLE FOIS

Je ne veux pas attendre le dessert pour remercier tous ceux sans qui ce livre serait un autre de mes nombreux projets qui n'aboutissent jamais.

D'abord, merci à Martin Gibert. Pour tout. Des cours d'éthique à la vaisselle, en passant par la place sur le sofa et l'amour inconditionnel.

Merci à Alexandre Simard d'avoir assuré le *shift* de nuit et un soutien technique, émotif et linguistique sans faille.

Merci à mon *pusher* de chiffres, Ianik Marcil, pour tous ses « oui, mais… ».

Merci à Jean-Baptiste Jeangène Vilmer pour *Éthique animale* et à Michel Defoy pour son exceptionnel retard.

Merci à tous ceux qui m'ont offert leur temps, leur savoir et leur expertise, même s'ils ne partagent pas toujours mes opinions :

Alexandre Gagnon, Alex Folk, Amélie Lachapelle, Andrée-Anne Cormier, Benoît Girouard, Catherine

Lefebvre, Carl Saucier-Bouffard, Christian Dauth, Claudya Bienvenu, Christian Saint-Pierre, Dominique Dupuis, Émilie Karuna, François Dumontier, Frédéric Côté-Boudreau, Frédéric Lago, Jean-Claude Poissant, Jocelyn Leblanc, Julie Laporte, Julie Tardif, Maé Durepos, Mariève Savaria, Marylène Benoit, Mathieu Brossard, Nick King, Normand Laprise, Olivia Nguyen, Patrick Hubert, Richard Desjardins, Sayara Thurston, Sophie Gaillard, Valéry Giroux, Véronique Proulx et Yarrah.

Merci à Monsieur Seb pour ses mix cosmiques qui ont accompagné toute ma rédaction*.

Merci à Yolande Lapierre pour les suppléments de vitamine D.

Merci à tous ceux et celles qui commentent quotidiennement mes billets, qui n'hésitent pas à m'encourager et à remettre mes idées en question.

Merci à Catherine Viau, Allison Ulan, Christophe Bourguedieu, Marc Zaffran, Peter Singer, Jonathan Safran Foer, James E. McWilliams et Simone de Beauvoir pour l'inspiration.

Merci à mon éditrice, Miléna Stojanac, la sage-femme derrière ce projet, pour son intelligence et sa grande sensibilité. Merci aussi à toute l'équipe du Groupe Librex pour leur confiance et leur enthousiasme contagieux.

---

* http://www.monsieurseb.com

1

MANGER AVEC SA TÊTE

Les choix alimentaires comme choix éthiques

On conçoit rarement nos choix alimentaires comme des choix éthiques. On peut imaginer un scandale politique pour des raisons de détournements de fonds, d'adultère ou même de meurtre. Mais on voit mal un politicien faire les manchettes pour avoir mangé un *hot chicken*!

Aujourd'hui, lorsqu'on demande ce qu'est bien manger, on s'entend répondre comme une comptine «une alimentation diversifiée, riche en fruits et légumes». D'autres ajouteraient «le plaisir de déguster des plats aux saveurs délicatement agencées». Or, choisir des aliments parce qu'ils sont bons pour la santé ou parce qu'ils nous procurent du plaisir, ça ne touche que soi. Si je me nourrissais aux hot-dogs, je saurais que j'augmente sensiblement mes risques de maladie cardiaque et je le ferais en connaissance de cause, mais ça ne concernerait personne d'autre. Par contre, si le ketchup de mon hot-dog était produit à partir du sang d'enfants torturés, les choses seraient différentes. Il y aurait évidemment là un problème moral! L'éthique commence donc là où mes pratiques ont des répercussions sur la vie des autres.

Pour le dire simplement, l'éthique répond à la question : « Comment devrais-je agir au mieux? » Elle s'intéresse aux grands choix de vie et de société, mais aussi aux petites questions de tous les jours. Les hommes se sont toujours donné des règles et des normes morales pour guider leurs comportements et leurs attitudes envers les autres : ne pas mentir, ne pas voler, ne pas tuer, etc. Même si, à première vue, l'alimentation semble échapper à ces règles et à ces normes morales, on se rend vite compte qu'en fait les grandes religions ont toutes défini des prescriptions et des restrictions alimentaires : du poisson le vendredi, pas de porc, des animaux tués et saignés suivant certains rites ou même pas d'animaux du tout. On oublie aussi souvent cette règle morale très largement répandue : ne pas manger de la viande humaine !

Bref, on ne mange pas n'importe quoi ni n'importe comment : l'éthique est déjà dans nos assiettes. Elle l'est d'autant plus que, trois fois par jour, nous faisons des choix. Et ces choix ont des conséquences : sur l'environnement, sur le bien-être des animaux, sur la faim dans le monde et sur la vie de travailleurs. Manger, c'est aussi poser des gestes éthiques.

Mais comment s'y retrouver? Dans *The Ethics of What We Eat*[2], le philosophe Peter Singer et l'avocat Jim Mason proposent les fondements suivants.

1. Transparence

Nous avons le droit de savoir comment nos aliments sont produits.

La transparence est un filet de sécurité contre les mauvaises pratiques. On devrait pouvoir choisir nos aliments en sachant dans quelles conditions ils sont parvenus jusqu'à nous. Comment les animaux qu'on mange, par exemple, ont-ils été élevés et abattus? Les travailleurs ont-ils été correctement traités, ont-ils mis leur santé en danger? Y a-t-il du soya OGM dans mes biscuits? L'industrialisation et la spécialisation de notre agriculture ont fait en sorte qu'il est maintenant extrêmement difficile de retracer les origines de notre nourriture. Mais en fouillant un peu, comme je le ferai dans ce livre, il est possible de lever une partie du voile.

Des mots à la bouche

Végétarien	Qui ne mange pas de viande.
Végétalien	Qui ne mange pas de produits animaux (viande, lait, œufs...).
Végan	Qui ne consomme pas de produits animaux (viande, lait, cuir...).
Flexitarien	Végétarien, -talien à temps partiel.
Déchétarien	Qui mange des déchets (comestibles!).
Omnivore	Qui mange de tout.
Omnivore sélectif	Qui mange de la viande bio.
Crudivore	Qui mange cru.
Locavore	Qui mange local et de saison.

2. Équité

Produire de la nourriture ne devrait pas imposer des coûts aux autres.

On doit régler la facture des aliments que l'on consomme en payant un prix juste, qui reflète le plus possible les coûts réels de production. Produire de la nourriture entraîne la pollution de l'air, des cours d'eau et de l'atmosphère, un coût qui n'est pas reflété nécessairement dans le prix que l'on paie à l'épicerie. Pourtant, ces coûts devront tôt ou tard être assumés par la société. Si la viande ou certains légumes coûtent si peu cher aujourd'hui, c'est entre autres parce que des riverains doivent vivre tout l'été à côté de rivières polluées, dans l'odeur de lisier, ou parce que des salariés mexicains travaillent dans des conditions difficiles. L'équité impose de tenir compte de ces «coûts cachés» qui sont associés à la production des aliments que nous consommons.

3. COMPASSION

Limiter la souffrance inutile.
Dès que l'on se met à la place de l'autre, on cherche à réduire ou à empêcher la souffrance qu'il endure. C'est ce qu'on appelle l'«empathie» ou la «compassion». Et mis à part quelques psychopathes, chacun d'entre nous préférerait vivre dans un monde de solidarité et de bonté plutôt que d'indifférence et de barbarie. Moralement, cela se traduit par une obligation d'aider autant que de ne pas nuire. Pour ce qui est de nos choix alimentaires, cela signifie que nous devons faire preuve de compassion. Envers les êtres humains et envers les animaux.

4. RESPONSABILITÉ SOCIALE

Respecter les droits fondamentaux des travailleurs.
Les travailleurs ont droit à des conditions de travail décentes et à une rémunération juste. La solidarité avec les travailleurs, ça compte aussi pour ceux qui ne sont pas syndiqués et qui n'ont pas de tribune dans les journaux. Les employés et producteurs ont le droit de travailler dans un milieu sécuritaire, où ils sont respectés.

5. Besoins vitaux

La vie et la santé passent avant toute autre considération éthique.
Quand il faut satisfaire ses besoins fondamentaux et assurer sa survie, les principes précédents peuvent être relégués au second plan. En revanche, lorsque nos besoins vitaux sont comblés, nos choix devraient se tourner vers les options ayant les meilleures conséquences sur les autres.

L'ÉTHIQUE AU-DELÀ DES CHOIX ALIMENTAIRES

« En vous rendant à votre travail, vous passez devant un étang où des enfants jouent par beau temps. Or, aujourd'hui, il fait frais, et vous êtes surpris de voir un gamin batifoler dans l'eau de bon matin. En vous approchant, vous remarquez que c'est un tout petit enfant. En regardant alentour : ni parent, ni gardienne. L'enfant se débat, il ne garde la tête hors de l'eau que quelques secondes. Si vous n'allez pas le tirer de là, il risque fort de se noyer. Entrer dans l'eau est facile et sans danger, mais vos chaussures toutes neuves seront fichues et vous allez mouiller votre costume. Le temps de remettre l'enfant à ses parents et de vous changer, vous arriverez en retard à votre travail. Que faire[3] ? »

Lorsque nous sommes directement placés devant la détresse d'autrui, la perspective de rester inactif nous paraît condamnable. Mais la plupart d'entre nous restent sourds aux appels visant à secourir les populations réduites à l'extrême misère.

Près de 10 millions d'enfants meurent chaque année des conséquences de la pauvreté — c'est 27 000 enfants par jour. Les efforts des ONG diminuent le nombre de victimes, mais si ces organisations avaient encore plus de moyens, elles sauveraient encore plus de vies.

Dans *Sauver une vie*, Peter Singer explique qu'en donnant une somme relativement modeste, on pourrait sauver une vie. Pourtant, nous dépensons tous de l'argent pour des choses dont nous n'avons pas besoin. En consacrant son argent à des dépenses superflues au lieu de le verser à une organisation caritative, laisse-t-on mourir un enfant ?

Pour plus d'information sur notre obligation morale à donner, on peut visiter http://www.thelifeyoucansave.com (une version française est offerte).

2

VISITE INDUSTRIELLE
À LA FERME

Les coûts cachés
de la viande pas chère

Si vous visitez les environs de Détroit, aux États-Unis, tous les guides touristiques vous conseilleront d'aller faire un tour du côté de l'usine Ford à Dearborn. Le célèbre constructeur automobile a aménagé une passerelle d'un demi-kilomètre au-dessus de la ligne de montage des camions F-150. Du haut de cette passerelle, on peut voir toutes les étapes qui permettent de transformer une coquille vide en véhicule. Des tableaux fournissent des informations sur ce qui se passe quelques mètres plus bas et des employés sont disponibles pour répondre aux questions des visiteurs.

Revenons au Québec. Si vous vous baladez du côté de Saint-Félix-de-Valois, près de Joliette, vous pourrez admirer des dizaines de hangars aveugles en tôle blanche. C'est que Saint-Félix, selon le site de l'Office de tourisme de Lanaudière, est la « capitale de la volaille ». Mais il vous sera impossible de visiter l'une de ces « usines de poulet » que l'on voit sur le bord de la route 131. Pas possible non plus lors des journées Portes ouvertes organisées chaque automne par l'Union des producteurs agricoles (UPA). Lors de ces journées, des dizaines de producteurs québécois montent des tréteaux pour se rapprocher des consommateurs : élevages laitiers, de bisons, d'émeus, de canards, de sangliers, productions de miel, de lavande. Mais pas de poulet ni de porc (à part un éleveur qui vend hors des circuits traditionnels). Pourtant, ces productions sont les premières au Québec en nombre de têtes. Pourquoi ne peut-on pas visiter ces élevages, qui produisent 99 % de la viande que nous consommons[4] ? Je ne parle pas des abattoirs, mais plutôt du lieu où a été élevée la viande que nous mangeons et donnons à nos enfants. Peu importe, ce n'est pas possible.

Même sans aller jusqu'à visiter les élevages, essayez de savoir où et comment a été produite la poitrine de poulet que vous vous apprêtez à manger. Sur l'emballage : une prairie verte et ensoleillée, un fermier vêtu d'une salopette et d'un grand chapeau. Il porte en bandoulière un sac dont il sort une poignée de grains qu'il lance gracieusement sur le sol. Or, du côté de Saint-Félix, vous ne verrez pas beaucoup de fermiers en chapeau de paille. Vous ne verrez pas non plus de poulets. Seulement les murs aveugles de grands entrepôts fermés au public. Y aurait-il quelque chose à cacher ? Et ne sommes-nous pas complices en ne cherchant pas à savoir ?

La regrettée Linda McCartney, première épouse de l'ex-Beatle Paul, a écrit que si les murs des abattoirs étaient faits de verre, tout le monde serait végétarien[5]. Je n'en suis pas complètement certaine. Mais la transparence est un moyen efficace de limiter les mauvaises pratiques, et les consommateurs ont droit à une information fiable sur ce qu'ils achètent. Toute l'industrie agroalimentaire moderne s'est construite derrière des portes closes dont personne ne semble

Je mange avec ma tête

détenir les clés. Du côté des Éleveurs de volailles du Québec, on fournit une information du genre : « Les poulets disposent de l'espace nécessaire pour circuler librement à l'intérieur du poulailler[6]. » Quand on se tourne vers les groupes de défense des animaux[7] et les médias spécialisés destinés aux producteurs, ou quand on prend le temps de discuter avec des éleveurs, on comprend que la réalité n'a pas le visage bucolique des emballages. Et malheureusement, le fardeau de la preuve revient à ceux qui critiquent ces pratiques, pas à ceux qui les cachent.

Du poulet de demain au poulet d'aujourd'hui

Le poulet que l'on consomme aujourd'hui n'a rien à voir avec celui que mettaient sur leur table nos grands-parents. Il n'y a pas si longtemps, le poulet était encore considéré comme le symbole d'une richesse à laquelle aspiraient les Américains. Pendant la campagne électorale américaine de 1928, le président Herbert Hoover s'était engagé à éradiquer la pauvreté en promettant « un poulet dans chaque casserole et une voiture dans chaque garage[8] ». Il tint promesse : Henry Ford rationalisa la production automobile afin de rendre l'achat d'une voiture plus accessible à la masse, tandis que les éleveurs de volailles industrialisèrent la production avicole pour en faire baisser les coûts.

Il faut dire que, jusqu'alors, les poulets étaient des sous-produits peu efficients de la production d'œufs : une façon de générer des revenus avec les « inutiles » poussins mâles, qui étaient élevés en basse-cour, à l'extérieur. Mais une découverte notable changea les choses : si l'on ajoutait des vitamines A et D à leur diète, les poulets n'avaient plus besoin de vivre au soleil. On pouvait donc les élever dans de grands abris. Les fermes familiales qui fonctionnaient avec une cinquantaine d'oiseaux allaient passer à l'échelle supérieure pour atteindre 500, puis 10 000 et jusqu'à 250 000 poulets. Les fondements de la production industrielle étaient en place : alimentation à base de céréales, contrôle des cycles de croissance par la lumière et développement d'antibiotiques dont la consommation continue devait réduire l'incidence de maladies.

En 1946, il restait toutefois un détail assez important à régler : le poulet lui-même. Car l'animal n'était pas conçu pour la production de viande. Il fallait développer une race destinée à la consommation : le poulet à chair. Le gouvernement américain, en collaboration avec une chaîne d'épiceries, organisa dans l'Arkansas le concours du *Chicken of Tomorrow*, le « poulet de l'avenir ». Le but était de découvrir le poulet parfait, celui qui offrirait la plus grosse poitrine le plus rapidement, et au moindre coût. Le poulet gagnant vint d'un producteur californien : il avait le plumage brun et une grosse poitrine, de quoi exciter le plus difficile des amateurs de barbecue.

C'est depuis cette époque qu'il existe deux sortes de poules : les pondeuses et celles qui sont élevées pour leur chair. Aujourd'hui encore, que l'on soit à la maison ou dans une rôtisserie St-Hubert, ce sont les descendants de cet oiseau « gagnant » que nous mangeons. Une véritable machine à convertir du grain en chair, dont les performances sont améliorées à chaque génération[9] : ce poulet atteint aujourd'hui les 2 kg en moins de 40 jours, alors que ses ancêtres prenaient le double du temps avant d'être embrochés[10].

« *Get big or get out* »

Lorsque mon père était enfant, et jusque dans les années 1960, les fermes ressemblaient à celles que l'on voit dans *La Petite Maison dans la prairie*. Bovins, volailles et cochons cohabitaient et vivaient principalement à l'extérieur. Aujourd'hui, les fermes sont pour la plupart spécialisées et industrialisées, et il est extrêmement difficile de trouver de la viande, du lait ou des œufs qui n'en proviennent pas. Les gouvernements, aux États-Unis comme au Canada, ont fortement incité les fermes à devenir de plus en plus grosses. Secrétaire d'État à l'agriculture sous les présidents Nixon et Ford, Earl Lauer Butz demandait aux agriculteurs de choisir : « *Get big or get out.* » Grossissez ou disparaissez ! Les programmes gouvernementaux ont encouragé la monoculture, la surproduction et l'exportation. Leur mise en place a aussi marqué la fin des petites fermes : de 62 000 fermes laitières au Québec en 1962, on n'en comptait plus que 6 800 en 2007[11]. Pendant ce temps, la production porcine, largement exportée, est passée de 2 millions de têtes en 1974 à près de 8 millions en 2009[12]. Ce que soutient l'État, c'est la quantité, et non la qualité.

Aujourd'hui, le Québec est d'ailleurs la première province canadienne en élevage porcin, avec près de 4 millions de têtes, dont 60 % sont destinées à l'exportation[13]. Il est également un important producteur de volailles et de bovins.

CHEPTEL D'ANIMAUX D'ÉLEVAGE AU QUÉBEC EN 2009[14]

Type d'élevage	Nombre de têtes
Poulets	171 752 000
Dindons	4 184 000
Porcs	3 935 000
Bovins	1 362 000 (dont 368 000 vaches laitières)
Moutons et agneaux	275 000

Un burger à 200 dollars?

On peut regretter l'époque des petites fermes familiales et le mode de vie qui les accompagnait. Cependant, la nostalgie ne fait pas forcément bon ménage avec les réalités économiques. Ne devrait-on pas plutôt se réjouir des bienfaits de ces élevages industriels? Après tout, ce n'est pas avec leurs trois poules que nos ancêtres pouvaient s'offrir du poulet à chaque repas. L'élevage industriel a au moins le mérite d'avoir réduit le coût de la viande... Mais à quel prix?

Combien coûte vraiment un burger à quatre dollars? Voilà la question surprenante que se pose Raj Patel dans son livre *The Value of Nothing*[15]. Quatre dollars, c'est ce que paye celui qui achète le burger. Mais combien en coûte-t-il à la société si l'on tient compte de la charge que la production de ce burger fait peser sur l'environnement et la santé? À combien faut-il estimer ce que les économistes nomment les «externalités négatives»? Ces frais souvent invisibles qui correspondent, par exemple, à l'assainissement d'une rivière polluée par une industrie agroalimentaire ou aux investissements en santé requis pour soigner les maladies découlant de cette pollution. Si l'on tenait compte de ces frais, Raj Patel estime que le prix du burger avoisinerait les 200 dollars. Je n'ai pas vérifié le calcul qui parvient à cette somme. Mais chose certaine, les conséquences de la production intensive ont un coût qui ne se reflète évidemment pas dans le prix à la caisse. Comme le dit Patel, «*cheap food is cheat food*[16]»: la nourriture à bon marché, c'est de l'escroquerie.

Dans les prochaines pages, j'étudierai plus en détail les coûts cachés de la viande «pas chère»: souffrance des animaux, pollution environnementale et problèmes de santé. Quand on choisit d'acheter de la viande à bon marché, on décide en quelque sorte de refiler une partie de la facture à quelqu'un d'autre. On en conviendra, ce n'est pas juste.

DES COÛTS POUR LE BIEN-ÊTRE ANIMAL

Tous les animaux que nous consommons sont issus d'une minutieuse sélection génétique. La biodiversité a cédé la place à l'uniformité génétique. Ces animaux ont été choisis selon des caractéristiques qui importent à l'éleveur ou au consommateur. Pas nécessairement à l'animal! Du coup, presque tous les animaux d'élevage sont voués à souffrir du simple fait de leur constitution : structure osseuse trop faible, difficultés à se déplacer, problèmes cardiaques. C'est un peu comme si l'on avait donné naissance à des personnes handicapées de façon volontaire et programmée. En fait, ces animaux, souvent incapables de se reproduire naturellement, peuvent difficilement vivre plus vieux que l'âge auquel on a prévu de les tuer. Ils seraient d'ailleurs pour la plupart incapables de vivre à l'extérieur. Mais le fait qu'ils soient plus « artificiels » que « naturels » ne doit pas nous faire oublier que leur souffrance, elle, est bien réelle.

Dans quelles conditions sont élevés, transportés et abattus les poulets, les cochons, les vaches, les bœufs et les veaux? Je décrirai ce qui me paraît être les conditions qui prévalent dans la majorité des élevages d'où proviennent les aliments qui garnissent les tables québécoises. Il existe bien sûr des exceptions et je les aborderai en fin de chapitre.

Le poulet

À quoi donc ressemble la vie d'un poulet, à Saint-Félix ou ailleurs? Que se passe-t-il au juste derrière les murs aveugles des hangars de tôle? Quelle sera la vie d'un poussin? Ici, l'exemple représente très bien la règle, car les jeunes poussins qui deviendront nos poulets auront tous exactement la même vie.

J'ai eu la chance, il y a quelques mois, de visiter un élevage de volailles de la Rive-Sud de Montréal. Vêtue d'un habit bleu à mi-chemin entre celui du chirurgien et celui du cosmonaute, j'ai pénétré dans un de ces mystérieux poulaillers remplis de poussins. Jocelyn, l'éleveur qui me guidait lors de ma visite, n'était pas peu fier de me présenter ses derniers investissements : système d'éclairage, génératrice, etc. Moi, je n'avais d'yeux que pour les centaines d'oisillons qui couraient entre mes jambes en piaillant.

Patiemment, Jocelyn m'a expliqué que les poussins sont livrés en caisses alors qu'ils ne sont âgés que de vingt-quatre heures. Ils sont alors placés dans les grands hangars et y resteront sans voir la lumière du jour jusqu'au moment d'être abattus, moins de deux mois plus tard. Comme j'ai pu le constater, les premiers jours sont relativement faciles, mais plus ils grandissent, plus l'espace devient exigu. En un certain sens, ils sont effectivement en liberté puisqu'ils ne sont pas en cage, mais on est loin de la cour dont un chien monte la garde. L'excessive promiscuité les empêche d'établir des structures sociales. Dire qu'ils s'ennuient est faible. Mais surtout, ils vivent un stress constant. Comment le sait-on ? Par les comportements destructeurs qu'ils adoptent : ils se piquent entre eux et vont parfois jusqu'au cannibalisme. Même chose chez les dindons. Pour les empêcher de se blesser, on « épointe » à la chaleur le bout pointu de la partie supérieure du bec des jeunes bêtes, qui tombera au bout de quelques jours.

Le plancher des poulaillers, recouvert de litière, ne sera pas nettoyé de tout le séjour des volailles. On imagine qu'il est rapidement jonché de fientes. Pour prévenir les blessures aux pattes, l'éleveur doit conserver sa litière sèche, moelleuse et confortable durant toute la durée de l'élevage en maintenant une ventilation adéquate du poulailler, et c'est bien ce que j'ai pu observer au cours de ma visite. Dans les faits, les éleveurs ne sont peut-être pas tous aussi consciencieux, parce que les groupes de protection des animaux rapportent que les oiseaux passeront littéralement leurs jours à se brûler les pattes dans leurs déjections et à respirer de l'air vicié à cause de l'ammoniaque[17]. De toute façon, qui est là pour surveiller?

Les volailles sont nourries d'un mélange de grains; *tous* les poulets sont nourris de grains – dire qu'un poulet est nourri au grain, c'est dire d'un poisson qu'il a été élevé dans l'eau! Par contre, les poulets vendus au Québec ne sont pas nécessairement «végétariens». La majorité reçoivent aussi des farines animales. Leur alimentation est précisément mesurée et enrichie d'antibiotiques, d'enzymes et de vitamines qui permettent de prévenir les maladies infectieuses et contribuent à une croissance plus rapide. Les ajouts sont essentiels à la diète, sans quoi les oiseaux tomberaient malades. Les antibiotiques sont aussi utilisés comme facteurs de croissance. Or, les poulets grandissent si vite qu'ils sont, proportionnellement, comme des enfants qui atteindraient un poids de 135 kg à l'âge de dix ans, en ne mangeant que des barres de céréales et des multivitamines[18]. Cette croissance fulgurante cause des problèmes aux os et aux articulations des poulets puisque leur structure osseuse n'est pas assez résistante pour soutenir toute cette chair. Les fractures sont fréquentes, et il n'est pas rare que des oiseaux blessés ne puissent plus se déplacer pour boire ou se nourrir et finissent par mourir dans la douleur. Le taux de mortalité officiel est de 1 à 2 %. Sur un élevage moyen de 16 000 oiseaux, c'est donc plus de 300 poulets qui ne se rendront pas jusqu'à l'abattoir[19]. Le taux élevé de mortalité est d'ailleurs ce qui m'a le plus frappée lors de ma visite d'un élevage de dindons. Les dindons sont des oiseaux curieux. Alors que je traversais le poulailler, le groupe se resserrait autour de moi, formant une masse compacte, et se déplaçait au rythme de mes pas. Les oiseaux les plus dominants profitaient de mes arrêts pour venir picorer mes bottes recouvertes d'un plastique brillant. Mais c'est en me retournant que j'ai vu qu'une douzaine d'entre eux étaient restés loin du groupe. Morts ou agonisants.

Les œufs

Contrairement aux poulets à chair, les poules pondeuses, elles, sont élevées en cage. Des cages minuscules, mesurant 51 cm sur 61 cm et hautes de 35 cm, dans lesquelles on entasse jusqu'à sept oiseaux. Chaque poule a donc un espace de vie inférieur à la taille d'une feuille de papier : elle ne peut pratiquement pas bouger ni déployer ses ailes. Comme tous les oiseaux, les poules cherchent à se construire un nid et à se protéger pour pondre un œuf, ce qui est absolument impossible lorsqu'elles sont enfermées dans une cage. Elles ne peuvent pas non plus prendre des bains de sable ou se percher comme elles le feraient à l'état naturel. La plupart des experts en bien-être animal s'entendent pour dire que ce type d'élevage cause un stress énorme aux poules et affecte leur bien-être[20].

Dès leur arrivée à l'élevage, les jeunes poules ont droit elles aussi à un traitement choc. On leur coupe le bec pour éviter qu'elles ne se blessent entre elles. Ensuite, on éteint la lumière et on les soumet à un régime à faible teneur en protéines, question de simuler la saison hivernale. Deux à trois semaines plus tard, on rallume : elles sont alors éclairées vingt heures par jour et on les nourrit de grains riches en protéines. C'est le printemps ! Ainsi, elles pondent de deux à trois fois plus que dans leur cycle naturel[21]. Mais cette productivité se fait, là encore, au prix de leur santé. Plusieurs tombent vite malades : ostéoporose, maladies du foie, ulcères, bronchites, fractures, crises car-

Je mange avec ma tête

diaques. Et après un an, quand leur production baisse, elles sont abattues pour être intégrées à de la nourriture pour animaux.

On le devine aisément, tous les poussins ne deviendront pas des pondeuses. Qu'advient-il des mâles qui n'ont pas les bonnes caractéristiques génétiques pour être exploités pour leur chair? Ils seront détruits dès la naissance. Comment? En étant broyés vivants. On utilisera cette «farine» pour produire de la nourriture pour animaux domestiques ou de l'engrais[22].

Le porc

À la différence des productions de volaille et de lait, régies par des quotas et destinées principalement au marché domestique, la production porcine au Québec n'est pas contingentée. Elle est d'ailleurs devenue la première production animale en ce qui a trait aux revenus, encouragée par un important soutien gouvernemental: la moitié de la production porcine québécoise est exportée[23].

Sur les marchés internationaux, le porc québécois doit concurrencer les productions de pays émergents comme le Brésil et la Chine. Les marges de profit sont faibles, la pression sur les prix, importante. Si bien que tout a été pensé pour diminuer les coûts et optimiser les revenus. Les cochons sont non seulement des machines à produire de la viande, ils servent aussi à faire pencher la balance commerciale du bon côté.

Pour produire des cochons, il faut des truies. Ces mères porteuses à temps plein enfilent les grossesses l'une après l'autre. Elles passent tout le temps de leur gestation coincées dans des «caisses» de 60 cm de large, un espace qui ne leur permet pas de se retourner. Or, les cochons sont des animaux sociaux. Ils ont besoin d'interactions et de divertissements. Coincées dans leurs caisses de gestation, les truies s'ennuient. Elles sont aussi contraintes de dormir et de faire leurs besoins au même endroit, alors qu'à l'état naturel elles préfèrent dormir dans un endroit propre.

Juste avant l'accouchement, on les place dans une autre caisse, où elles sont alors immobilisées sur le côté, couchées à même le béton. C'est là qu'elles mettront bas et allaiteront sans pouvoir bouger ni toucher leurs petits. Pourquoi cette pratique qui tient de la torture ? Parce que, dit-on, sans cela, la truie risque de se retourner sur ses porcelets et de les écraser[24]. Mais il n'est pas besoin d'être vétérinaire ni architecte pour deviner que c'est d'abord le manque d'espace qui fait qu'une truie peut écraser sa progéniture.

Quelques jours après avoir mis bas, la truie est de nouveau inséminée. Elle donnera ainsi naissance à environ six portées de plus d'une dizaine de porcelets chacune avant d'être envoyée à l'abattoir à l'âge de trois ans.

Les jeunes mâles, ou verrats, quant à eux, seront castrés sans anesthésie à l'âge de huit jours, puis leurs dents et leurs queues seront coupées pour empêcher

COUPER COURT À LA CASTRATION

On justifie la castration des verrats, les porcs mâles, par la nécessité d'éviter une odeur qui se dégagerait de la viande. Or, cette odeur ne serait perceptible que chez 3 % des animaux. En Angleterre et en Irlande, les porcelets ne sont pas castrés et on prévient les odeurs en tuant les animaux un peu plus jeunes. En Allemagne, on utilise des « renifleurs électroniques » pour détecter les odeurs. Les carcasses malodorantes sont utilisées pour des préparations précuites. Aux Pays-Bas et en Suisse, l'anesthésie est obligatoire avant la castration depuis le début de 2011[25].

Je mange avec ma tête

qu'ils ne se blessent les uns les autres. C'est ce que l'on pourrait appeler une version extrême du « mieux vaut prévenir que guérir ». Mais pourquoi se blesseraient-ils ? On comprend mieux leur agressivité lorsqu'on sait qu'ils passeront les six prochains mois dans des enclos d'engraissement : leur espace vital étant réduit au minimum, ils n'ont rien d'autre à faire que de se battre.

Les porcelets sont sevrés de force après quinze jours (au lieu de quinze semaines dans des conditions naturelles), car il faut bien que leur mère puisse retomber enceinte. Or, en si bas âge, ils ne peuvent digérer les aliments solides. On doit donc leur donner des médicaments pour soigner les diarrhées en continu. C'est aussi à cet âge que l'on commence à les traiter aux antibiotiques afin de lutter contre les problèmes respiratoires omniprésents dans les élevages industriels. Malgré cette précaution, une majorité de porcs souffriront d'infections des voies respiratoires avant le moment de l'abattage.

Le bœuf

Le porc, le poulet et les œufs que nous consommons au Québec sont pour la plupart produits localement. Le bœuf, lui, vient surtout de l'Ouest canadien, où les pâturages sont bon marché. Les bovins passent en effet une grande partie de leur vie en liberté : la production bovine est celle qui a le moins évolué au cours du dernier siècle. Comparée à celle des autres animaux d'élevage, leur vie paraît assez aisée. Le principal problème de bien-être des bœufs vient de leur alimentation. Car, si les jeunes bœufs, ou veaux d'embouche, passent les premiers mois de leur vie à paître avec leur mère, ils sont ensuite envoyés dans des parcs d'engraissement où leur diète sera composée à 90 % de céréales. Or, les bovins sont des ruminants : leur système digestif est adapté à l'herbe, et non aux céréales. Il en résulte de nombreux maux :

Des conditions de vie améliorées ailleurs dans le monde, mais pas au Québec

Le Farm Animal Welfare Council (le Conseil pour le bien-être dans l'élevage, http://www.fawc.org.uk/freedoms.htm) du Royaume-Uni a édicté cinq règles minimales pour guider l'industrie dans l'amélioration des conditions d'élevage des animaux.

1. Absence de faim, de soif et de malnutrition : accès libre à de l'eau fraîche et à une nourriture adaptée en quantité suffisante.

2. Maintien du confort de l'animal : accès libre à un environnement approprié qui inclut au minimum un abri et une aire pour le couchage.

3. Absence de douleur physique, de maladie ou de blessures : prévention ou traitement vétérinaire à la suite d'un diagnostic rapide.

4. Expression des comportements normaux de l'espèce : espace suffisant et possibilité de contact et d'interaction avec d'autres membres de son espèce.

5. Absence de peur ou d'anxiété : traitement et conditions de vie n'induisant pas de détresse psychologique.

Depuis quelques années, des initiatives concrètes ont été prises un peu partout dans le monde pour améliorer les conditions de vie des animaux d'élevage. Par exemple, en Europe, les veaux ne sont plus élevés en stalles depuis plusieurs années. Toujours en Europe, les poules pondeuses devront être élevées en plein air, en volières ou en cages aménagées (avec des nids et des perchoirs) à partir de 2012. De plus, l'Australie, l'Europe et trois États américains (la Floride, l'Arizona et la Californie) ont entrepris de retirer progressivement les cages de gestation des truies.

Pendant ce temps, que fait-on au Québec ? Pour le moment, pas grand-chose. À l'automne 2010, l'ex-ministre de l'Agriculture du Québec, Laurent Lessard, a parlé de la mise en place d'une «Stratégie québécoise de santé et de bien-être des animaux[26]». On attend encore des annonces de mesures concrètes. On peut quand même espérer des changements dans les prochaines années, ne serait-ce que pour maintenir la place des produits québécois vers les marchés d'exportation, où les normes sont de plus en plus sévères.

ballonnements, diarrhées, etc. De plus, être entassés dans ces parcs d'engraissement détruit les structures sociales, ce qui cause du stress. Dans certains élevages, des implants d'hormones sont utilisés pour accélérer la croissance des animaux. Finalement, tout comme les porcs, les bouvillons d'abattage sont castrés à froid en plus d'être écornés et marqués au fer (une brûlure du troisième degré).

Par contre, lorsqu'on mange du bœuf haché, c'est généralement de la vache que l'on consomme. Les vaches laitières qu'on met à la retraite après trois ou quatre ans prennent toutes la route de l'abattoir Colbex-Levinoff à Saint-Cyrille-de-Wendover, près de Drummondville. Là-bas, on les appelle «vaches de réforme». Et c'est réformées dans un papier cellophane qu'elles arriveront dans nos épiceries.

Le lait
Le lait, c'est un peu la vedette de l'agriculture québécoise, une fierté nationale. Les productions laitières québécoises sont pour la plupart familiales, disposant d'un cheptel moyen de moins d'une cinquantaine de têtes[27]. Les étables sont généralement des espaces assez propres et bien aérés, que l'on peut

assez facilement visiter. On y voit alors que les bêtes sont alignées et attachées à de grandes clôtures de métal – la stabulation entravée ferait en sorte que les vaches s'alimentent davantage. Mais, contrairement à l'image que l'on voit sur les cartons de lait, toutes les vaches laitières sont élevées à l'intérieur. Ce sont les génisses, des vaches qui n'ont pas encore eu leur premier veau, qui broutent dans les champs.

Le problème se résume ainsi : pour produire du lait, une vache doit produire un veau. Si bien que, comme pour la truie, sa vie est un cycle d'inséminations et de mises bas : les vaches sont en lactation pendant sept des neuf mois de leur grossesse, ce qui leur laisse bien peu de temps pour se reposer.

Chaque vache produit aujourd'hui au moins deux fois plus que dans les années 1960[28]. Comme les poulets de chair, les vaches ont été sélectionnées pour leur capacité à produire, ce qui s'est fait au détriment de leur confort : les problèmes orthopédiques sont nombreux et elles souffrent fréquemment de mammite, une douloureuse inflammation du pis. Pas surprenant qu'on les abatte après trois ou quatre ans alors que, dans de bonnes conditions, elles pourraient vivre jusqu'à vingt-cinq ans.

Et si les vaches doivent faire des veaux pour produire du lait, que fait-on des veaux ? Les femelles deviendront d'autres vaches laitières. Le sort des mâles se rapproche de celui des poussins : ils n'ont pas les caractéristiques génétiques nécessaires pour devenir un bœuf de boucherie et ne peuvent évidemment pas donner de lait. Dans les années 1980, on leur a découvert un débouché : produire de la viande de veau en grande quantité (jusqu'alors, la viande de veau était peu connue ici[29]). On ne le sait pas assez : le veau n'est qu'un sous-produit de la production laitière.

Je mange avec ma tête

Le veau

Dès la première journée, les veaux sont séparés de leur mère et nourris au biberon (pour que les vaches puissent se «concentrer» sur la production de lait destinée aux humains). Lorsqu'on visite une ferme laitière, il n'est d'ailleurs pas rare de voir des vaches hurler à la recherche de leur petit. Quant aux veaux, ils montrent des signes de détresse évidents. À l'âge de quelques semaines, ils seront vendus à l'encan pour être ensuite engraissés chez un producteur spécialisé.

Au Québec, il existe deux façons principales d'élever les veaux: au lait ou au grain. Les veaux de grain sont nourris au maïs enrichi de vitamines jusqu'à l'âge de vingt-cinq semaines. Deux fois plus nombreux et vendus un peu plus cher, les veaux de lait sont nourris de lait en poudre modifié jusqu'à l'âge de vingt semaines. Or, l'élevage au lait entraîne une plus grande souffrance. Pour avoir une viande bien blanche supposément appréciée des consommateurs, les veaux sont privés de fer. Ils vivent en anémie. Et pour contrôler les rations, la plupart des veaux de lait sont confinés dans des logettes individuelles, en bois (pour éviter qu'ils ne lèchent les barreaux de fer) à peine plus grandes qu'eux. On s'en doute, ces veaux recevront eux aussi des antibiotiques pendant toute leur croissance.

Porcs, bovins ou volailles, les animaux élevés industriellement ont sensiblement tous les mêmes maux. Ils ont été sélectionnés pour produire des protéines, et leurs besoins et instincts sont gommés au bénéfice de leur productivité. Les vétérinaires ne sont pas là, comme des médecins, pour procurer une santé optimale, mais pour aider les éleveurs à maximiser les rendements. Les médicaments ne sont pas administrés pour guérir des maladies, mais pour se substituer à des systèmes immunitaires détruits. De façon générale, le contexte ne pousse pas les éleveurs à produire des

LES ANIMAUX D'ÉLEVAGE N'ONT PAS LES MÊMES DROITS QUE LES ANIMAUX DOMESTIQUES

Les animaux d'élevage n'ont pratiquement aucun droit au Canada. On peut même dire qu'ils sont considérés aux yeux de la loi comme des biens matériels insensibles. La majorité des lois provinciales qui touchent au bien-être animal excluent de leur champ d'application les activités agricoles, pourvu que celles-ci soient pratiquées de manière «normale». Comme l'industrie définit essentiellement par elle-même ce qui constitue une pratique «normale», ces lois n'offrent pratiquement pas de protection aux animaux d'élevage.

Au Québec, l'exclusion se fait selon l'espèce. La section de la loi qui traite «de la sécurité et du bien-être des animaux» ne s'applique pour le moment qu'aux chats et aux chiens. C'est donc dire que les chats et les chiens ont certains droits que les animaux d'élevage n'ont pas. En revanche, la Loi sur la santé des animaux et la Loi sur l'inspection des viandes réglementent le traitement des animaux d'élevage lors du transport et de l'abattage.

animaux sains, mais à s'en tenir à la logique économique du rapport coûts/avantages. Il serait faux de penser que les éleveurs sont des monstres insensibles à la souffrance animale. Mais ils sont coincés par les contraintes du marché. Comme me l'a confié un producteur laitier à qui je demandais pourquoi il ne laissait pas ses vaches aller dehors plus souvent : « On n'a pas de marge, on n'a plus de marge. On ne peut pas se permettre de voir baisser notre productivité. On produit ce que le monde veut acheter. »

Le transport et l'abattage

La mort des animaux d'élevage est à l'image de leur vie : marquée par la souffrance. D'abord, le transport vers l'abattoir est souvent fait sur de longues distances. La Loi sur la sécurité et le bien-être des animaux permet par exemple de transporter les porcs durant trente-six heures sans eau, sans nourriture et sans protection contre le froid ou la pluie. L'hiver, ils sont nombreux à geler collés aux parois métalliques des camions. Une étude ontarienne a démontré que sur 10 000 cochons transportés, 17 meurent et plusieurs autres subissent un stress important en route vers l'abattoir[30]. À l'arrivée, on rejette simplement les carcasses gelées – elles seront broyées pour devenir de la viande pour animaux domestiques[31]. Les volailles, quant à elles, sont empoignées par n'importe quelle partie du corps, puis entassées dans des cages de plastique pour le transport. Les fractures et autres blessures sont choses courantes durant le chargement et le transport – qui peut là aussi durer jusqu'à trente-six heures sans eau ni nourriture. La Loi, censée protéger minimalement les animaux pendant le transport, est mal appliquée. Plus de trois millions d'animaux arrivent morts dans les abattoirs canadiens chaque année, mais moins d'une dizaine de contraventions sont données aux camionneurs[32].

Les abattoirs sont de véritables usines à transformer les animaux en viande. Ils sont conçus pour que la mort des animaux soit la plus immédiate possible. Mais le système connaît des ratés. Gail A. Eisnitz est inspecteur en chef pour la Humane Farming Association des États-Unis. Elle a rencontré d'anciens employés d'abattoirs et a consigné leurs troublants témoignages dans un ouvrage qui met les nerfs à rude épreuve, *Slaughterhouse*[33]. On y comprend, par exemple, qu'à cause de la vitesse des chaînes de production, des animaux sont souvent égorgés alors qu'ils sont encore vivants. Ces pratiques causent d'énormes souffrances et ne sont pas sans mettre en péril la sécurité des travailleurs : en effet, Eisnitz rapporte plusieurs cas d'employés frappés par des animaux qui ruent alors qu'ils sont égorgés.

Les bovins doivent être assommés par un « pistolet à percuteur ». C'est un fusil pneumatique qui tire un piston rétractable au centre du front de l'animal, provoquant en théorie son inconscience. Mais l'efficacité de la technique dépend de la compétence des employés. Souvent, les bovins ne sont pas correctement étourdis et on doit répéter la procédure. Il arrive que la chaîne soit si rapide que des animaux encore vivants sont enchaînés par une patte arrière et soulevés pour être transportés par un rail vers la seconde station. C'est là qu'on leur tranche la veine jugulaire ou la carotide pour les saigner. Suivent alors l'éviscération, l'écorchage et le démembrement.

Gail Eisnitz raconte comment des vaches peuvent être encore vivantes au moment de l'écorchage : « Souvent, le *skinner* (l'écorcheur) réalise que la vache est encore consciente quand il tranche le côté de sa tête et qu'elle commence à se rebiffer sauvagement. Lorsque ça arrive, ou si la vache donne déjà des coups de pied à son arrivée à la station, le *skinner* enfonce un couteau dans le derrière de sa tête pour couper la moelle épinière. La vache est ainsi paralysée du cou en descendant. Mais la douleur n'est pas assourdie et la vache n'est pas inconsciente ; ça permet seulement au travailleur de la dépouiller ou de la démembrer sans recevoir de coup de pied[34]. »

La situation est similaire pour les porcs qui, plutôt que d'être assommés par un pistolet pneumatique, le sont généralement par un choc électrique appliqué sur les tempes. Or, dans la mesure où un trop haut voltage risquerait de tacher la viande, on a tendance à s'en tenir au minimum. La réussite de l'opération dépend alors de la dextérité des employés. Et comme celle-ci est variable, plusieurs porcs seront saignés vivants.

Le sort des volailles n'est pas plus enviable. À leur arrivée à l'abattoir, leurs pattes sont attachées à des étriers. Puis elles sont transportées, tête en bas, vers un grand bassin d'eau électrisée dans lequel on leur plonge la tête pour les étourdir. Ce n'est qu'ensuite qu'on leur tranche la gorge. Il faut savoir que les oiseaux apeurés soulèvent souvent la tête à l'étape du bassin électrique : ils seront alors égorgés en plein état conscient.

Il faut bien comprendre que l'abattage est une industrie. Ce qui compte, c'est de répondre aux besoins, peu importent les moyens pris pour y arriver. Malheureusement, les « exceptions » semblent souvent devenir la règle. Des abattoirs accusés de saigner, d'écorcher ou de démembrer des animaux vivants se sont d'ailleurs défendus en disant que ces pratiques étaient courantes dans l'industrie de l'abattage[35].

DES COÛTS POUR LA SANTÉ HUMAINE

Les méthodes d'élevage industriel non seulement ont des effets désastreux sur la santé des animaux, mais elles affectent aussi la santé humaine. La plupart des consommateurs savent aujourd'hui qu'une trop grande consommation de viande peut être liée à des problèmes cardiaques. Toutefois, plus rares sont ceux qui savent que leur cuisse de poulet peut leur transmettre une bactérie mortelle résistante aux antibiotiques. Quant aux employés d'abattoirs, ils ne se doutent pas toujours, au moment de signer leur contrat d'embauche, qu'ils s'engagent dans l'un des métiers les plus dangereux qui soient en matière d'accidents du travail.

Bactéries et superbactéries

Le confinement de volailles, de cochons et de bovins aux systèmes immunitaires déficients est directement lié à la propagation de bactéries comme le *campylobacter*, la *salmonella* et l'*E. coli*. Celles-ci intoxiquent des milliers de Canadiens chaque année. Ces bactéries présentes dans les intestins de certains animaux se retrouvent dans la viande ou parfois même sur les œufs vendus en épicerie. Jusqu'à 83 % du poulet acheté serait infecté par une de ces bactéries[36]. En règle générale, les bactéries sont tuées par la cuisson. Mais c'est la contamination croisée qui cause des ennuis. En préparant son repas, on peut contaminer un couteau, l'évier ou un linge à vaisselle. Si la surface contaminée touche un aliment qui sera consommé cru, la bactérie peut se propager. Les fruits et légumes peuvent aussi être contaminés dans les champs par le fumier utilisé en engrais et même par l'eau.

Les symptômes causés par ces bactéries nous sont d'ailleurs familiers : fièvre, crampes d'estomac, diarrhée, nausées, vomissements, maux de tête. On les confond facilement avec ceux de nombreuses autres maladies (on pense qu'on a « attrapé un virus »). Le plus souvent bénignes, ces infections sont toutefois fréquentes (jusqu'à 13 millions de cas par année au Canada[37]). Elles peuvent amener des complications et, dans de rares cas, causer la mort[38].

Plus inquiétant encore, ces infections peuvent être produites par des bactéries résistantes aux antibiotiques, des « superbactéries ». Une étude de 2007 a démontré que 45 % des élevages porcins et un quart des porcs de l'Ontario étaient contaminés par le SARM, une bactérie capable de résister aux traitements antibiotiques classiques et qui tue 18 000 personnes par année aux États-Unis (autant que le sida[39]). Les recherchistes de l'émission *Marketplace* de la CBC et de *L'Épicerie* à Radio-Canada ont fait tester 100 échantillons de poulet achetés à Vancouver, à Toronto et à Montréal. Les deux tiers des échantillons contenaient des bactéries, ce qui est normal. Ce qui l'est moins, c'est qu'elles étaient toutes résistantes à au moins un antibiotique[40]; quelques bactéries résistaient même à huit antibiotiques.

Comment en est-on arrivé là? On l'a vu, les antibiotiques sont largement utilisés à la fois pour prévenir les maladies et favoriser la croissance chez les animaux. L'industrie nous affirme qu'elle fait un usage judicieux des antibiotiques. Il n'empêche qu'aux États-Unis, 80 % des antibiotiques produits sont destinés aux animaux[41]. Qu'en est-il au Canada? Impossible de le dire: les volumes d'utilisation d'antibiotiques en production animale ne sont pas mesurés[42].

Lorsque les antibiotiques sont utilisés de façon inappropriée, les bactéries les plus faibles sont éliminées alors que les plus fortes et les plus résistantes survivent et se multiplient. D'où leur côté « super »: une bactérie qui développe une résistance à un antibiotique a ensuite la capacité d'acquérir une résistance à un autre antibiotique[43]. Les gènes de résistance aux antibiotiques de ces bactéries peuvent également être transmis à d'autres bactéries, rendant ces dernières tout aussi résistantes aux antibiotiques. C'est beaucoup moins super pour la personne infectée: elle risque la mort*.

L'Organisation mondiale de la santé (OMS) a récemment rappelé que la résistance aux antimicrobiens constitue un problème majeur de santé publique et animale. C'est aussi une charge importante pour l'économie[44] puisque plane désormais

---

* Une amie médecin à qui j'ai demandé de relire mon texte a bien résumé la situation dans un petit commentaire en marge: «C'est vrai et c'est ultra chiant. Vraiment, vraiment, vraiment pénible...»

une menace mondiale : le « risque de nous priver de la possibilité de traiter de nombreuses maladies infectieuses[45] ». L'OMS recommande par conséquent aux gouvernements d'interdire l'utilisation d'antibiotiques non thérapeutique dans l'agriculture. C'est chose faite depuis 2006 dans l'Union européenne. Mais chez nous, on en est encore loin. En 2009, le gouvernement fédéral a retiré tout financement au Comité canadien sur la résistance aux antibiotiques (CCRA[46]). Et alors que le PDG des Rôtisseries St-Hubert, Jean-Pierre Léger, affirme vouloir offrir à ses clients du poulet sans antibiotiques[47], les producteurs de volailles du Québec rétorquent que ce n'est pas possible, que cela n'en vaut pas le coup : les coûts d'une production sans antibiotiques seraient trop élevés[48]. En Suède, où les antibiotiques ont été interdits en 1986, l'augmentation nette pour les consommateurs était estimée à 0,12 dollar le kilo pour la viande au détail[49].

Supervirus

En plus des bactéries, de nombreuses épidémies virales et infectieuses sont liées aux élevages industriels : maladie de la vache folle, grippe aviaire, H1N1 (qui a pris naissance dans un élevage porcin en Caroline du Nord), etc. En effet, rassembler dans un environnement fermé et surpeuplé des animaux génétiquement uniformes et aux systèmes immunitaires faibles semble être une excellente recette pour encourager la croissance et la mutation des virus. Même que, selon le virologue Robert Webster, toutes les grippes humaines ont une origine aviaire : « Les virus responsables des pandémies humaines empruntent de leurs gènes aux virus grippaux des volailles domestiques[50]. »

On comprend alors mieux pourquoi, dans un rapport signé en 2005, *Global Risks of Infectious Animal Diseases*, différents experts gouvernementaux, universitaires et de l'OMS ont conclu que le prix à payer pour plus d'efficience dans les élevages intensifs était une augmentation des risques d'épidémies mondiales[51]. Il se pourrait bien qu'on doive choisir : la viande « pas chère » ou notre santé.

Mauvaises conditions de travail

Enfin, même si l'on en parle beaucoup moins, il faut savoir que les mauvaises conditions de travail qui prévalent dans les élevages et les abattoirs ont également un coût en santé payé par des travailleurs souvent mal formés et peu rémunérés. Ceux-ci sont eux aussi pris dans l'engrenage de la productivité à tout prix. Résultat : des taux d'accident du travail effroyables. Par exemple, les 1 000 employés de l'abattoir Olymel de Vallée-Jonction ont subi 900 « accidents » en 2010[52]. Pas étonnant, dès lors, que le taux de roulement annuel frôle parfois les 100 %[53].

Quelques statistiques sont extrêmement troublantes : un agriculteur québécois sur deux serait en détresse psychologique ; les agriculteurs sont deux fois plus susceptibles de se suicider que l'ensemble de la population[54]. Plusieurs facteurs peuvent expliquer ces chiffres : une charge de travail souvent énorme (les semaines de 90 heures ne sont pas rares), l'endettement élevé, le risque d'accidents liés aux travaux agricoles, un manque de reconnaissance de cette profession, l'éloignement géographique et les problèmes familiaux fréquents. Bref, l'élevage industriel serait une horreur pour tous ceux qui s'y consacrent.

DES COÛTS POUR L'ENVIRONNEMENT

Lorsqu'on évoque le rapport élevage/environnement, on pense immédiatement à l'élevage porcin, la plus importante source de pollution agricole au Québec. La production porcine pollue l'air, mais aussi les sols et les rivières. À la base de tous ces problèmes, il y a le lisier, un mélange brunâtre de déjections et d'eau. Les porcs sont élevés sur un plancher de lattes non jointes qui permet de recueillir leurs déjections. Celles-ci sont diluées par les eaux de lavage et s'écoulent vers une fosse où viendra parfois s'ajouter l'eau de pluie. Traditionnellement, on élevait plutôt les porcs sur des litières de sciure de bois ou de paille auxquelles se mélangeaient les déjections : cela entraînait un compostage qui créait le fumier (le purin étant la partie liquide récupérée du fumier). Mais le passage à la gestion liquide des déjections animales a permis d'augmenter la densité des élevages tout en diminuant les besoins en main-d'œuvre.

Or, les effets du lisier sur les sols sont bien différents de ceux du fumier. Comme l'explique l'agronome Véronique Bouchard[55], le fumier est une sorte d'humus qui améliore la fertilité des sols. Le lisier, en revanche, s'apparente davantage aux engrais chimiques et conduit à une dégradation de la structure du sol. Les épandages sont fréquents (il faut vider la fosse) et les sols dégradés reçoivent plus d'eau qu'ils ne peuvent en absorber. L'eau en surplus « lave » les sols, entraînant avec elle des éléments fertilisants solubles et des pesticides[56]. Tout cela s'en va vers les rivières et conduit à des concentrations élevées de phosphore et d'azote (j'y reviendrai au chapitre 6).

Il faut aussi compter avec l'odeur. Le sujet peut paraître futile pour quiconque n'a pas à la subir au quotidien, mais des études ont montré qu'il s'agissait plus que d'une simple question de cohabitation : l'odeur du lisier est une véritable source de détresse psychologique. Elle se traduit, chez les voisins des porcheries, par des occurrences plus élevées d'anxiété, de dépression, de sentiments de colère et de fatigue ainsi que par des troubles d'humeur[57]. Tout cela en plein été, alors qu'on a envie de profiter du soleil.

Je mange avec ma tête

Enfin, il arrive régulièrement que du lisier de porc soit déversé dans les rivières, comme ce fut le cas à Val-Joli, près de Sherbrooke, au printemps 2010. Cent mille litres de lisier ont été déversés à moins d'un kilomètre d'une usine d'épuration[58]. Une cinquantaine de poissons furent retrouvés morts d'asphyxie : la décomposition du lisier utilise de l'oxygène, réduisant d'autant l'oxygène libre dans l'eau. Pendant ce temps, les résidents devaient faire bouillir leur eau. Le lisier étant soluble dans l'eau, aucun « nettoyage » n'est possible… Il faut attendre que sa concentration diminue.

L'utilisation d'eau potable

Alors que le problème d'accès à l'eau potable devient de plus en plus criant, que les réserves souterraines s'épuisent et que les rivières sont déjà exploitées à leur pleine capacité, 70 % de l'eau douce est utilisée par l'agriculture à l'échelle planétaire[59], dont près de la moitié pour produire de la viande, des œufs et des produits laitiers[60]. En fait, la production de viande nécessite dix fois plus d'eau par calorie que la production de végétaux[61]. Les chiffres sont astronomiques. Par exemple, élever un cochon nécessite entre 93 000 et 361 000 litres d'eau[62]. En comparaison, chaque Canadien consomme environ 119 000 litres d'eau par année. L'organisme PETA (People for Ethical Treatment of Animals) a estimé que produire un kilo de viande nécessitait en moyenne l'équivalent de l'eau utilisée pour prendre sa douche pendant six mois[63] !

La déforestation

La production de viande est étroitement liée à un autre problème écologique : la déforestation. Les deux tiers des terres agricoles sont aujourd'hui utilisés pour l'élevage[64], une proportion qui tend à augmenter avec la demande pour des produits d'origine animale. Ces terres servent entre autres au pâturage des bovins, qui cause l'érosion et la dégradation des sols. Imaginez ce dont aurait l'air votre cour si un troupeau de bœufs y passait ses vacances! En Amérique du Nord, on estime à 74 % la proportion des terres des régions arides et semi-arides qui sont dégradées[65]. Le mot «dégradé» signifie qu'on ne peut plus rien y cultiver et que les espèces qui y vivaient, comme les insectes et les oiseaux, ont perdu leur habitat naturel.

Développer des pâturages et des champs pour y faire pousser des céréales demande aussi qu'on déboise de grandes superficies. La forêt amazonienne a perdu 6 500 km^2 en 2010 (environ la taille de l'île d'Anticosti). C'est une *petite* année si on la compare au début des années 2000, durant lesquelles le rythme annuel de déforestation était quatre fois plus rapide. Cette disparition s'explique par plusieurs facteurs, dont le besoin grandissant en terres agricoles. En Amazonie, comme en Afrique, on coupe des arbres pour pouvoir cultiver du soya. Ce soya est donné aux animaux d'élevage destinés à la consommation humaine.

On sait aujourd'hui que l'élevage est une des sources principales du réchauffement climatique. Comme je l'exposerai plus en détail au chapitre 7, cela vaut pour toutes les étapes de la production de viande: l'utilisation de fertilisants et de pesticides pour faire pousser les céréales, le méthane émis par les ruminants, le transport, l'abattage et la transformation. Dans son rapport *Livestock's Long Shadow – Environmental Issues and Options*, publié en 2006, la FAO (l'Organisation des Nations unies pour l'agriculture et l'alimentation) estimait à 18 % les émissions de gaz à effet de serre liées au bétail[66]. Ces chiffres ont depuis été critiqués, mais il demeure que l'élevage contribue significativement au réchauffement climatique. Et cela n'apparaît pas sur l'addition chez McDonald ou Burger King!

Je mange avec ma tête

LE SOUTIEN DE L'ÉTAT À L'ÉLEVAGE INDUSTRIEL

Un autre coût qui n'est pas compris dans le burger à quatre dollars, c'est celui des aides de l'État à la production. Bon, voilà enfin quelque chose qui devrait être facile à mesurer! L'aide de l'État provient des finances publiques (et de nos impôts). La question paraît donc relativement simple: « La production de viande, c'est subventionné à quel pourcentage? » Hum, hum… Je peux vous assurer que c'est un vrai casse-tête, même pour quelqu'un qui a l'habitude des chiffriers! Pourquoi? Parce que les producteurs sont soutenus par de nombreuses mesures telles que les subventions directes et indirectes, les quotas de production, les assurances contre les mauvaises récoltes, etc. Essayons d'y voir plus clair.

Au Canada, toutes les productions agricoles, à l'exception des fruits et légumes, sont soutenues par l'État*. L'agriculture canadienne n'est toutefois pas beaucoup subventionnée en regard des autres pays industrialisés, alors qu'elle l'est un peu plus qu'aux États-Unis. L'Organisation de coopération et de développement économiques (OCDE) estime que les divers mécanismes de soutien comptent pour un peu moins de 18 % des recettes agricoles canadiennes, contre plus de 23 % pour l'OCDE et moins de 10 % pour les États-Unis. Au Japon, c'est près de 50 %, et en Norvège, plus de 60 %[67].

Tous les produits ne sont pas subventionnés de façon égale: la proportion est de 14 % pour la volaille, de 11 % pour les œufs et de 46 % pour le lait (voir encadré). Mais pour arriver à une évaluation précise, il faudrait aussi prendre en compte que la production des céréales et des légumineuses qui nourriront les animaux d'élevage est elle-même subventionnée.

---

* Les productions de pommes et de pommes de terre sont elles aussi subventionnées.

LE LAIT, UN CAS À PART

L'exemple du lait est emblématique du système dans lequel évoluent les agriculteurs au Québec. Deux organismes gouvernementaux gèrent la production de lait au Canada : le fédéral s'occupe du lait de transformation (environ 60 % de la production laitière) et les provinces, du lait de consommation. Un système de quotas fait en sorte que la production mensuelle est établie par l'État : ces quotas sont un droit de production que les producteurs achètent. La Commission canadienne du lait établit un « prix objectif » basé sur les coûts de production ; compte tenu des estimations de la demande du marché, on définit alors une quantité maximale pouvant être produite. Par la suite, chacun des producteurs doit vendre son lait à un syndicat qui en assure la commercialisation et la distribution : au Québec, c'est la Fédération des producteurs de lait, celle-là même qui produit les publicités bien connues et qui distribue les berlingots dans nos écoles.

Une autre source importante de soutien de l'État est le Programme d'assurance stabilisation des revenus agricoles (ASRA). Il est géré par la Financière agricole, un organisme cofinancé par le gouvernement du Québec et les producteurs agricoles. Le principe en est assez simple : les producteurs assurés reçoivent une compensation lorsque le prix de marché de leur production est inférieur aux coûts de production. Si l'ASRA soutient les producteurs de bovins, d'agneaux, de pommes, de pommes de terre, de céréales, de maïs et d'oléagineux, ce sont de loin les éleveurs de porcs qui en bénéficient le plus.

En 2010, la compensation totale de l'ASRA pour la viande porcine s'élevait à 0,22 dollar par kilogramme. Du point de vue du consommateur, cela ne représente pas grand-chose sur le prix d'un filet de porc à 15 dollars/kg. En revanche, puisque les agriculteurs vendent leur porc 1,60 dollar/kg, il s'agit d'une compensation substantielle : près de 14 %. Bien entendu, puisqu'il s'agit d'une assurance, les producteurs doivent contribuer à la caisse pour pouvoir bénéficier de cette aide.

Pour compliquer tout cela, il faut aussi savoir que, outre le soutien direct, diverses autres structures et mesures doivent entrer dans l'équation. Elles font en sorte que le prix des aliments que nous payons au supermarché ne reflète pas le prix « naturel », c'est-à-dire le prix de marché qui s'établirait sans l'aide de l'État. La gestion de l'offre en est un bon exemple. C'est un mécanisme par lequel les producteurs de lait, de volailles et d'œufs ajustent leur production en fonction des besoins du marché domestique. Les producteurs s'engagent à approvisionner le marché en quantité suffisante et à ne pas produire de surplus (d'où les quotas). De son côté, le gouvernement canadien s'engage à limiter l'entrée de produits importés de sorte que les besoins du marché intérieur soient comblés principalement par la production canadienne.

En général, les programmes de soutien de l'État favorisent les grosses productions, lesquelles ne sont pas nécessairement les plus saines*.

---

* Il faut toutefois souligner de nouvelles mesures incitatives de la Financière agricole : elle offre ainsi depuis peu deux programmes destinés aux producteurs qui ne sont pas appuyés par des mesures de gestion de l'offre, Agri-investissement et Agri-Québec. Ce produit financier permet à un producteur de réserver une portion de ses profits sous certaines conditions ; en contrepartie, les gouvernements déposent un montant équivalent au compte du producteur. Celui-ci pourra retirer ces montants au besoin (pour éponger les pertes d'une année, par exemple, ou pour réaliser des projets d'investissement). Quoique cette mesure ne soit pas

Qu'est-ce qu'on produit[68] ?

Les deux tiers de ce qui est produit par les agriculteurs du Québec proviennent des animaux : le lait, à lui seul, compte pour près du tiers de l'activité (31 %), suivi par le porc (17 %). Les fruits et légumes ne comptent que pour 9 % de nos productions.

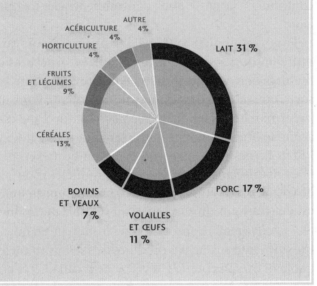

Compliqué pour presque rien

Ces mécanismes semblent extrêmement lourds pour une industrie (culture et élevage) qui ne compte que pour 1 % de l'économie québécoise. Il y a certes des raisons nobles et légitimes de protéger à la fois les producteurs nationaux et les consommateurs, mais j'ai l'impression que ce ne sont que des considérations économiques ou de développement régional qui dictent actuellement ces mesures de soutien. Les

dotée de fonds très importants (70 M $), elle constitue une étape intéressante dans le soutien aux nouvelles productions.

Je mange avec ma tête

questions environnementales et de bien-être animal, malgré quelques changements au cours des dernières années, sont à peine prises en compte*.

Alors que les grosses industries sont soutenues par l'État, les petits producteurs qui adoptent des méthodes différentes ne reçoivent pratiquement rien. Pendant que le revenu des producteurs de porcs est garanti et que lait est subventionné à presque 50 %, la ferme de fruits et de légumes biologiques qui me fournit des paniers chaque semaine, un modèle à suivre de petite entreprise écologique et saine, ne dispose d'aucune aide. Et c'est en général la même chose pour les producteurs de viande et d'œufs biologiques.

Parce qu'il ne semble considérer la dimension économique qu'à court terme, l'État ne soutient qu'un petit nombre de grosses productions. Il demeure dans une logique qui consiste à encourager l'industrialisation de la production agricole. Malgré la sensibilité des Québécois aux questions écologiques, force est de constater qu'au Québec, il est tout particulièrement difficile, coûteux et risqué de développer de nouvelles productions. Des productions qui seraient, par exemple, plus respectueuses de l'environnement et du bien-être animal.

Pourtant, nous sommes sur un terrain propice à ces innovations. Le Québec étant en quelque sorte un marché «réservé» aux producteurs québécois, un marché captif et fermé, notre politique agricole pourrait facilement élever ses standards. On

---

* Le Livre vert pour la politique bioalimentaire au Québec, dévoilé en juin 2011 par le ministre de l'Agriculture, des pêcheries et de l'alimentation, prévoit tout de même d'«assurer un développement respectant l'environnement», en réduisant notamment l'utilisation de pesticides. Par contre, il ne mentionne qu'une seule fois le bien-être animal comme façon d'amener les entreprises à se distinguer! Ministère de l'Agriculture, des pêcheries et de l'alimentation du Québec. *Donner le goût du Québec. Livre vert pour une politique bioalimentaire*, Québec, juin 2011 : http://www.mapaq.gouv.qc.ca/fr/Publications/MapaqBrochureLivreVert.pdf

ne peut pas invoquer l'argument de la concurrence extérieure pour poursuivre des pratiques polluantes et souffrantes. Dès lors, pourquoi, par exemple, ne pas compenser les pertes des producteurs qui enverraient leurs vaches dehors ? Pourquoi ne pas aider celui qui essaierait de réduire la quantité d'antibiotiques donnés à ses poulets ? Ou celui qui testerait l'élevage de porcs sans stalles de gestation ? Il est tout à fait possible de changer la logique de notre politique agricole.

UNE DEMANDE CROISSANTE

Et si l'on continuait notre visite loin du Québec... Oublions notre agriculture subventionnée. Oublions les hangars de Saint-Félix. Qu'en est-il à l'échelle de la planète ? Les élevages industriels n'ont-ils pas permis d'améliorer les rendements de viande, la rendant accessible au plus grand nombre ? Après tout, les Occidentaux ont bien aujourd'hui chacun un poulet dans leur casserole, comme le promettait le président Hoover. La soif d'équité et de justice ne devrait-elle pas nous faire désirer qu'il en soit de même partout au monde ?

S'il y a une certitude, c'est que, dans l'éventail des solutions possibles à la faim dans le monde, l'élevage intensif n'est pas présent. Ce serait même plutôt le contraire. Les ressources animales sont inefficaces pour nourrir la planète. En fait, en élevant des animaux pour les manger, on réduit la quantité de nourriture disponible. Pourquoi ? Parce que les animaux d'élevage intensif sont nourris de céréales. Comme nous, les animaux utilisent les nutriments pour rester en vie, se garder au chaud et grandir. Ainsi, on aurait besoin de 13 kg de céréales pour produire 1 kg de bœuf. Avec le porc, le ratio passe à 6 pour 1 ; avec le poulet, à 3 pour 1[69].

Or, ces céréales pourraient être consommées par des humains. C'est pourquoi le professeur émérite à la Faculté de l'environnement de l'Université du Manitoba, Vaclav Smil, soutient dans son livre *Feeding the World: A Challenge for the Twenty-First Century* que produire des œufs, du lait ou de la viande mène inévitablement à moins de nourriture pour la planète[70]. Et cela vaut aussi bien en ce qui a trait à l'énergie qu'aux protéines. D'ailleurs, si tous les pays du monde rattrapaient la consommation de viande des pays riches, Vaclav Smil estime qu'il faudrait 67 % plus de terres agricoles qu'il ne s'en cultive actuellement.

De plus, la production de céréales pour nourrir des animaux multiplie les problèmes environnementaux liés à l'agriculture (un point qui sera développé au chapitre 7). Par exemple, plus de la moitié des engrais sont utilisés dans des champs destinés à nourrir des animaux. Il en va de même pour une grande partie des cultures OGM comme celle du maïs ou du soya*. Et la réciproque est aussi vraie : si la consommation de viande diminuait, on utiliserait beaucoup moins de fertilisants et de pesticides dans les champs[71].

Hélas, la tendance n'est pas à la baisse. On prévoit que la demande de viande devrait doubler d'ici 2050[72]. La population mondiale augmente, les Indiens et les Chinois qui accèdent à la classe moyenne découvrent les plaisirs carnés. Même les Occidentaux mangent de plus en plus de viande! Les dernières données compilées par *Earthtrends* ne sont pas rassurantes : en 2002, chaque Canadien a mangé 108 kg de viande, soit 35 % de plus que dans les années 1960 et tout de même près de 12 kg de plus qu'en 1992. Le Canada se trouve d'ailleurs en tête de peloton des plus gros mangeurs

---

* Un OGM, ou organisme génétiquement modifié, est un organisme (animal, végétal, bactérie) dont on a modifié le matériel génétique (son ensemble de gènes) pour lui conférer une caractéristique ou une propriété nouvelle. Voir le chapitre 6.

Consommation annuelle de viande
per capita par pays (en kg)/année[73]

Pays	2002	1992	1982	1972	1962
Danemark	145,9	120,7	75,9	51,7	56,9
Nouvelle-Zélande	142,1	120,3	144,9	121,3	135,1
États-Unis	124,8	117,2	105,3	107,1	89,3
Canada	**108,1**	**96,5**	**98,2**	**97,7**	**80,5**
France	101,1	98,8	97,3	88,9	78,1
Argentine	97,6	102,8	98,6	90,2	106,5
Hollande	89,3	86,5	74,4	61,8	49
Royaume-Uni	79,6	75,4	69,1	74,1	71,5
Suisse	72,9	78,3	84,7	73,5	58,7
Norvège	61,7	52,3	46,4	43,5	37,7
Chine	52,4	30,4	15,7	10,7	4,4
Moyenne mondiale	**39,7**	**34,4**	**28**	**25,4**	**21,7**
Sénégal	17,7	16,5	13	13,8	13,6
Haïti	15,3	8,9	11,5	12,7	10,2
Niger	11,2	13,1	16,8	16,7	15,3
Sri Lanka	6,6	4,1	3,7	4,5	4,4
Inde	5,2	4,7	4	3,6	3,8
Bangladesh	3,1	2,8	2,5	3,4	3,3

de viande au monde, tout juste derrière les États-Unis mais devant la France, le Royaume-Uni et la plupart des pays européens. On notera aussi que les Canadiens mangent 47 % de plus de viande que les Suisses. Comme quoi consommation de viande ne rime pas nécessairement avec richesse.

Je mange avec ma tête

Des animaux mieux élevés?

Il existe des solutions de rechange à l'élevage industriel. Il existe de la viande, du lait et du fromage « éthiques ». On parle parfois aussi de viande *humane* ou « bio ». Et on trouve dans certaines épiceries des œufs pondus par des poules « en liberté ». Quelles réalités recouvrent ces expressions?

Même si l'on doit encourager toutes les initiatives qui améliorent le bien-être des animaux, aucune certification n'offre une garantie absolue de traitement sans souffrance. Les certifications américaines *Humane Raised and Handled* et *American Humane Certified* sont les seules étiquettes qui exigent un traitement « humain » des animaux de la naissance jusqu'à l'abattoir. Les standards très précis de la certification ont été établis par des comités de scientifiques. Ils interdisent par exemple l'utilisation de cages de gestation chez les truies et exigent que les poules aient accès à des bains de sable. Les inspections sont fréquentes et accompagnées d'une formation auprès des producteurs.

À ma connaissance, un seul producteur de porcs québécois est certifié *Humane Raised and Handled* : les viandes duBreton[74], entreprise qui exporte la majorité de sa production. DuBreton commercialise quatre labels; malheureusement, celui qu'on trouve sur les tablettes de nos épiceries est généralement le bleu, indiquant que les bêtes ont été élevées « sans antibiotiques », mais pas en liberté. J'ai aussi trouvé un producteur de veaux québécois qui possède la certification *American Humane Certified* : Montpak, pour sa gamme de veaux de grain NaturReserve. Une marque que je n'ai jamais vue en épicerie.

Un « élevage biologique » garantit que le nécessaire est fait pour réduire les conséquences néfastes des productions sur l'environnement. Les éleveurs bio cherchent avant tout à mettre en place un éco-système équilibré et durable, le plus naturel possible, dans lequel les animaux et les plantes fonctionnent en harmonie. Les animaux élevés de façon biologique ne reçoivent pas d'antibiotiques et sont nourris aux grains bio, ce qui veut dire du grain cultivé sans engrais chimiques ni pesticides. Je reviendrai sur la certification biologique au chapitre 9.

Par ailleurs, dans les élevages certifiés biologiques, les animaux ont accès à l'extérieur et leurs com-portements naturels sont encouragés. Pourtant, si les animaux d'élevages bio ne sont pas à l'abri de la souffrance, c'est d'abord parce qu'ils sont sou-vent génétiquement identiques aux bêtes des éle-vages industriels. C'est le cas du poulet bio qui,

---

COMPRENDRE LES LABELS D'ŒUFS SANS EN CASSER

Œufs frais ou *œufs frais de la ferme*
Cela ne veut absolument rien dire en ce qui concerne le traitement des poules.

Œufs omégas
Pondus par des poules nourries de graines de lin, riches en acides gras. Ces œufs contiennent très peu d'oméga-3 et le bien-être des poules n'est pas amélioré.

Œufs de poules en liberté
Les poules pondeuses ne vivent pas dans des cages, mais elles ont pu recevoir des antibiotiques. Les poules en liberté n'ont pas nécessairement accès à l'extérieur.

Œufs biologiques
Les poules sont nourries avec du grain biologique. Elles sont élevées sans cage et ont accès à l'extérieur.

Je mange avec ma tête

comme son congénère industriel, souffre toute sa vie de problèmes de structure osseuse. Certaines pratiques comme la castration à froid des porcelets et le marquage au fer des bœufs sont aussi tolérées. Et l'interprétation des règles est différente d'une ferme à l'autre : l'accès à l'extérieur peut signifier une porte ouverte quelques jours par année. De même, la durée de transport jusqu'à l'abattoir peut être excessive, et la mise à mort, douloureuse (il n'y a pas d'abattoir spécifique pour le bio). Le sigle bio n'est donc pas une garantie absolue de bien-être.

On peut aussi vouloir se tourner vers des viandes bio pour des questions de santé. Mais là encore, rien n'est parfait. Lors d'une enquête pancanadienne menée en 2010, on a trouvé des traces d'antibiotiques dans du poulet biologique. Comment est-ce possible ? En fait, les producteurs bio peuvent acheter leurs poussins des mêmes fournisseurs que les producteurs de poulet traditionnel : l'explication viendrait de ce que les poussins ont été exposés aux antibiotiques alors qu'ils étaient encore dans l'œuf[75]. Il n'en demeure pas moins que l'on réduit considérablement le risque d'être exposé à des bactéries résistantes aux antibiotiques en choisissant des viandes biologiques.

Il faut savoir que les certifications ne disent pas tout. De nombreux éleveurs ne disposent pas de la certification bio (souvent pour une question de coûts), mais traitent leurs animaux de façon exemplaire et n'utilisent pas d'antibiotiques. Si l'on veut consommer de la viande de la façon la plus éthique possible, il vaut souvent la peine de rencontrer l'éleveur et de lui poser des questions.

On peut quand même soutenir qu'en règle générale l'agriculture bio est peu dommageable pour l'environnement et que les animaux y sont mieux traités que dans les élevages industriels. Les fermes sont souvent de plus petite taille, les éleveurs sont moins coincés par l'obligation de rendement à tout prix. Et, contrairement à celles de la viande conventionnelle, l'origine et les conditions de production d'une viande bio sont beaucoup plus faciles à retracer. Encourager les élevages bio, c'est aussi inciter l'industrie tout entière à améliorer le traitement des animaux et son bilan environnemental.

Mais si l'effet environnemental des élevages bio est moins important que celui des élevages industriels, il n'est pas nul pour autant. Ces animaux restent inefficaces pour convertir l'énergie en nourriture. Sans être des défenseurs fervents des droits des animaux, la plupart des écologistes, David Suzuki en tête[76], s'entendent pour dire que la viande et les produits d'origine animale devraient être consommés de façon exceptionnelle.

Le système qu'on mérite

Imaginons qu'au moment de choisir notre coupe de viande à l'épicerie, nous soyons exposés aux images de poules débecquées, de truies prises dans leurs cages de gestation, de porcelets stérilisés à froid, de poulets gelés pendant le transport ou de porcs dépecés vivants. Imaginons devoir nous baigner dans une rivière polluée par un déversement de lisier ou subir une infection à la salmonellose en échange de viande bon marché. Imaginons que l'on nous demande de choisir entre mordre dans un steak juteux et nourrir six personnes. La plupart d'entre nous se tourneraient vers d'autres sources de protéines.

Sylvain Charlebois, vice-doyen à l'Université de Guelph, spécialiste des questions agroalimentaires, affirmait récemment que le «consommateur moyen n'est pas prêt à investir davantage sur son alimentation. Ce que les Québécois veulent, ce sont des produits sains et salubres, mais à bas prix[77]». Je pense qu'il nous sous-estime. Si le «consommateur moyen» ne semble pas prêt à investir davantage dans son alimentation, c'est qu'on lui cache le coût réel des aliments bon marché. Le consommateur n'a pas le système qu'il mérite : il n'a pas demandé le système actuel.

Comme l'explique Jonathan Safran Foer dans *Faut-il manger les animaux ?* : « Les barons de l'élevage industriel savent que leur modèle d'activité repose sur l'impossibilité pour les consommateurs de voir (ou d'apprendre) ce qu'ils font[78]. » Or, à partir du moment où l'on comprend que notre consommation de viande contribue aux souffrances de milliards d'animaux, à la déforestation, au réchauffement climatique, à la pollution, à l'épuisement des réserves pétrolières, à des problèmes de santé et de faim dans le monde, on ne voit plus aucune justification au maintien du système actuel. La viande « pas chère » nous coûte beaucoup trop cher.

Nous sommes à peu près tous d'accord pour dire que les animaux devraient être traités avec respect, que nous avons la responsabilité de préserver l'environnement et que nous devons faire preuve de solidarité humaine. Mais lorsque nous mangeons de la viande, des œufs ou des produits laitiers issus de l'élevage industriel, nous agissons comme si notre plaisir gustatif devait passer avant nos valeurs.

Plus je lis et réfléchis sur ces questions, plus j'ai l'impression que le système actuel ne fait que des victimes. Les animaux, l'environnement, les consommateurs, mais aussi les éleveurs coincés par des marges si faibles qu'ils doivent tout faire pour réduire leurs coûts. Nous nous retrouvons, au terme de cinquante ans d'industrialisation de l'élevage, pris dans un engrenage qui ne mène qu'à plus de souffrance. Et c'est d'autant plus surprenant dans un petit État comme le Québec, où la majorité des aliments d'origine animale sont produits localement et où, mieux encore, plusieurs productions sont protégées par la mise en marché collective et subventionnées par le gouvernement.

À vouloir consommer le plus de viande possible au plus faible coût, nous tournons nous-mêmes la manivelle de l'engrenage qui nous emporte. Pourtant, il serait facile de changer les choses. Il suffirait seulement de choisir avec discernement ce que nous mettons dans nos assiettes et de modifier notre rapport à l'agriculture. Plus nous nous intéresserons à la façon dont sont élevés les animaux que nous mangeons, plus nous poserons des questions, plus l'industrie deviendra transparente et se transformera. Les éleveurs québécois produisent pour nous, Québécois. Pourquoi ne pas exiger que nos aliments reflètent davantage nos valeurs? Pourquoi ne pas se donner le système que l'on mérite?

3

LE POISSON EST-IL SPÉCIAL?

L'industrie à l'eau :
surpêche et aquaculture

C'est en attendant à la caisse de l'épicerie que je me tiens au courant des déboires de Brad et Angelina, des démêlées judiciaires de Lindsay et des régimes amaigrissants de Britney – ça change de mes lectures sur l'agriculture. Mais mes visites à l'épicerie me réservent bien d'autres surprises que le constat des tribulations des vedettes. Tout récemment, un grand carton jaune posé sur le comptoir des produits de la mer a retenu mon attention. Une flèche désignait une pile d'emballages : des filets de chair blanche déposés dans une barquette bleue enveloppée de pellicule plastique. Sur chaque paquet, on pouvait voir une grande étiquette orangée. En caractères noirs se détachait un mot habituel dans ce genre d'endroit : SPÉCIAL. Mais qu'est-ce qui était si spécial ? La réponse n'était pas loin : sur une étiquette blanche indiquant le prix (9,99 dollars/kg). Et juste sous le code-barres, on pouvait lire la description du produit : POISSON.

Pas de l'aiglefin, du merlan, de la morue ou du tilapia. Non : du poisson. C'est tout ce qu'on savait. D'où venait-il ? Avait-il été élevé en aquaculture ou avait-il grandi en mer ? Comment avait-il été pêché ? Par des filets, par chalutage ou à la ligne ? Avait-il passé des heures accroché à un hameçon ? Était-il mort sur le quai d'un bateau battant pavillon norvégien ou péruvien ? Je devais me rendre à l'évidence : du point de vue de l'information disponible, les crises de Brad et Angelina battaient mon poisson à plate couture.

L'histoire de ce filet blanc à 9,99 dollars/kg est assez typique de notre rapport aux animaux marins. Si la plupart d'entre nous ont quand même une vague idée de la provenance de la viande que nous mangeons, nous ne savons à peu près rien de la mer. Nous n'en connaissons guère plus que les « produits » : darne, croquette surgelée ou maki… On a d'ailleurs longtemps perçu l'océan comme un vaste potager aquatique, profond et inhospitalier, mais aux ressources infinies. Jusqu'à tout récemment, personne ne se doutait que la mer pouvait s'épuiser. Il aura fallu attendre que certaines espèces comme la morue et le thon aient pratiquement disparu pour que l'on commence à s'en inquiéter.

Comment en est-on arrivé là ? Par la pêche industrielle. Celle-ci menace la survie de certaines espèces – on parle dans ce cas de « surpêche » – en plus de compromettre celle d'autres animaux marins pris accidentellement dans les filets – on parle alors de « prises accessoires ». Cette pêche industrielle est aussi responsable de la destruction des fonds marins et des coraux. Il faut bien l'admettre : aujourd'hui, le potager aquatique n'a pas très bonne mine.

Mais pendant ce temps, sur la terre ferme, la demande pour les produits de la mer ne cesse d'augmenter. Si bien qu'il est vite devenu plus rentable d'élever certaines espèces plutôt que de les pêcher. À l'heure actuelle, l'aquaculture fournit pratiquement la moitié des poissons que nous consommons. Malheureusement, comme l'élevage industriel, elle ne se développe pas sans coûts environnementaux importants. Certaines aquacultures sont aujourd'hui montrées du doigt comme des sources majeures de pollution et une menace pour la faune marine.

On peut très bien vivre sans manger de poisson. Mais avant d'arriver à cette décision, on peut se demander quelles espèces consommer si l'on veut préserver les océans. Quelles questions doit-on poser à son poissonnier? Plus on plonge dans ces questions maritimes, plus on découvre la difficulté de faire des choix éclairés et durables. C'est peut-être tout simplement cela qui rend le poisson si spécial.

La mort de la morue

On est en l'an 1497. Le deuxième voyage de Christophe Colomb vient de s'achever. Comme plusieurs de ses contemporains, le navigateur italien Jean Cabot entreprend une traversée de l'Atlantique à la recherche d'une route vers l'Asie. Parti en quête de thés, d'épices et de porcelaines, c'est les cales débordantes de morue qu'il rentre en Europe. Il faut dire que la pêche avait été facile, comme en témoigne son carnet de bord: « Il y avait tellement de poissons autour de l'île qu'il suffisait de descendre un seau, de le mouiller et ensuite de le remonter plein de poissons[79]. » L'île dont parle Cabot, nous la connaissons tous : c'est Terre-Neuve.

À l'époque, la morue était un poisson hautement prisé. Depuis le xe siècle, les Bretons et les Basques venaient la pêcher sur les côtes nord-américaines; ils avaient appris à la sécher et à la saler pour la rapporter aux Européens, qui en redemandaient. La découverte d'immenses bancs de morue était donc une excellente nouvelle qui allait teinter l'histoire des relations entre l'Europe et l'Amérique. Après le voyage de Cabot, ce fut au tour des Anglais, des Français, des Espagnols et des Portugais de lancer leurs filets au large de Terre-Neuve. En moins de cinquante ans, les deux tiers des morues consommées en Europe proviendraient de là[80].

L'exploitation de la morue s'est développée au cours des siècles, en Gaspésie, au Maine, au New Hampshire et au Massachusetts. L'économie de nombreuses villes côtières s'est même construite autour de cette ressource unique. À Boston, dans la Chambre des représentants, on trouve la statue d'une morue mesurant un mètre cinquante. Elle rappelle l'importance de ce poisson dans l'économie de l'État. La morue faisait effectivement vivre les pêcheurs, mais aussi les fabricants et réparateurs de bateaux, les vendeurs de matériel de pêche et les usines de transformation.

Cette économie traditionnelle subit une modernisation rapide après la Seconde Guerre mondiale. Les barques folkloriques sont alors remplacées par une flotte beaucoup plus imposante : on va plus loin en mer, les techniques de pêche se perfectionnent, la pêche devient « productive ». L'arrivée à bord des radars et des sonars permet aux pêcheurs de détecter les bancs de poissons et d'optimiser leur temps en mer. Les pêches deviennent ainsi de plus en plus importantes. D'une moyenne de 103 000 tonnes par année de 1918 à 1950, les prises faites au Canada montent à 275 000 tonnes de 1952 à 1968[81]. Les plats cuisinés arrivent sur les tablettes des épiceries et la morue, une chair blanche et bon marché, un goût neutre qui plaît à tous, devient le poisson par excellence, plus populaire que jamais. C'est aussi elle qui sert de base aux bâtonnets de poisson qui remplissent les congélateurs en Europe et en Amérique.

Malheureusement, la pêche miraculeuse sera de courte durée. Dès les années 1970, on observe une

Je mange avec ma tête

baisse considérable des stocks de morue et les poissons pêchés sont de plus en plus petits[82]. Le gouvernement canadien décide alors de limiter l'accès à ses côtes et crée, en 1977, une zone de 200 miles nautiques réservée aux pêcheurs locaux. Mais la morue ne connaît pas le droit maritime et les limites territoriales : l'hiver, elle migre vers des zones internationales sans quotas, où on la pêche sans vergogne.

PRISES DE MORUE (MILLIERS DE LIVRES)

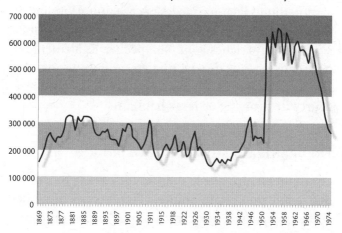

Dans les années 1980, les stocks continuent à diminuer de façon inquiétante. En 1992, le gouvernement canadien impose un moratoire complet d'une durée indéterminée. Cela crée un véritable choc pour les communautés qui y trouvaient leur principale source de revenu depuis des générations. Aujourd'hui encore, le retour de la morue continue de se faire attendre.

Les raisons du déclin de la morue le long des côtes nord-américaines demeurent complexes. Comme pour tout problème écologique, il serait réducteur de n'y voir qu'une explication, la surpêche. Par exemple, des experts ont observé que le refroidissement de l'eau causé par des hivers rigoureux dans les années 1980 avait entraîné une forte mortalité chez les jeunes morues. On montre aussi du doigt les phoques, qui seraient plus nombreux, qui mangeraient chaque année le tiers des jeunes morues. Mais tous s'entendent pour dire que la surpêche des années 1960 demeure le principal facteur.

L'histoire de la morue n'est pas unique. Des dizaines d'espèces de poissons sont aujourd'hui menacées : le flétan et le saumon de l'Atlantique, la sole, le turbot et le thon rouge. Et alors que les pêches sont de moins en moins abondantes au large de l'Europe et de l'Amérique, les pays riches vont (sur)pêcher, légalement ou non, dans les eaux de pays du tiers-monde. Ils mettent alors en péril ce qui constitue souvent la première source de protéine de leurs habitants.

UN DERNIER SASHIMI DE THON ROUGE

On pourrait dire que le thon rouge est à la morue ce que le foie gras est au poulet. C'est un aliment riche, goûteux et plein de caractère, mais qu'il faut apprendre à apprécier. J'ai d'ailleurs été surprise de lire que, même au Japon, le thon a longtemps été considéré comme trop âcre et malodorant. Il a fallu attendre l'arrivée de la réfrigération au XIXe siècle pour que quelques chefs audacieux des rues de Tokyo commencent à faire mariner le thon rouge afin de l'utiliser en sushi. Le thon cru devient alors vite populaire. Dès les années 1930, il fait partie intégrante d'un bon repas de sushis. Tandis que la demande grandit au Japon, en Amérique du Nord, le thon est réservé à la pêche sportive : après la victoire musclée sur l'animal, on le jette par-dessus bord. De retour au port, on se régale de poissons blancs comme la morue. Le commerce international fait le reste. Dans les années 1970, les avions-cargos qui arrivent du Japon remplis de matériel électronique

Je mange avec ma tête

retournent vers l'Asie chargés de thons rouges que les Japonais nous achètent pour trois fois rien.

Quelques années plus tard, c'est au tour des Nord-Américains et des Européens de découvrir le sushi. La demande va exploser. À la fin des années 1980, les stocks de thon rouge pêchés dans les trois océans de l'hémisphère Sud s'effondrent. La pêche se déplace alors vers le thon rouge de l'Atlantique, que l'on pêche surtout en Méditerranée, où il vient se reproduire. On estime que 80 % des ressources ont disparu depuis 1970[83]. Comment expliquer ce déclin du thon rouge? Sa grande popularité a évidemment fait monter sa valeur sur les marchés (un thon rouge de 200 kg s'est récemment vendu 35 000 dollars[84]), ce qui en a fait une prise recherchée par les pêcheurs. Il y a aussi le fait qu'aucune entente internationale n'a réussi à le protéger.

La protection suppose un territoire à protéger. Or, le thon compte parmi les poissons les plus rapides et les plus puissants au monde. Il peut traverser l'océan Atlantique en une soixantaine de jours. C'est là tout le problème de sa gestion: une nation qui exploite le thon peut le pêcher dans les eaux de n'importe quel autre pays tant qu'elle respecte ses quotas, une législation d'ailleurs difficile à imposer faute de ressources contre la pêche illégale[85].

Mais ces quotas sont aussi contestables. Les nations en développement d'Afrique et d'Amérique du Sud soutiennent une position bien compréhensible: «Vous avez exploité nos ressources pendant des années, c'est maintenant à notre tour de prendre notre part.» Ainsi, au printemps 2010, la Principauté de Monaco a proposé d'inscrire le thon rouge à la Convention internationale sur le commerce des espèces sauvages menacées (CITES) aux côtés du panda géant, du tigre et du rhinocéros, afin d'en interdire le commerce international. Sans surprise, cette proposition fut rejetée par le Japon et les pays en développement[86].

À l'heure actuelle, personne n'entrevoit de solution consensuelle et durable.

On redoute un épuisement total des stocks d'ici quelques années. Les analyses les plus pessimistes veulent même que l'espèce soit déjà tombée sous le seuil de non-retour. Dans l'Atlantique Nord, il resterait environ 9 000 animaux[87]. Que représente ce chiffre? Une dernière tranche de sashimi pour chaque Nord-Américain.

LE SAUMON CULTIVÉ EST-IL BIEN ÉLEVÉ?

Faire son épicerie dans une ville étrangère vaut souvent bien la lecture d'un guide de voyage. En se baladant dans les allées d'un supermarché, on est à même de mesurer lequel du thé ou du café est le plus populaire; on découvre les épices les plus utilisées, les coupes de viande préférées. Et si l'on jette un œil aux étiquettes, on peut constater le poids des produits locaux par rapport aux importations.

Lors d'une visite à l'Île-du-Prince-Édouard, il y a quelques années, j'ai été choquée de découvrir qu'il y était impossible de trouver du «vrai» saumon de l'Atlantique. (Je n'étais pas encore végétarienne, ma vie était drôlement plus compliquée!) Un sympathique marchand de Charlottetown m'a expliqué que tout ce qu'il vendait dorénavant, c'était du saumon d'élevage – le même que celui que je trouvais à Montréal. Et c'était bien plus simple ainsi pour tout le monde! Je suis repartie un peu ahurie, sans me poser d'autres questions. Ce n'est que récemment que j'ai repensé à cette anecdote en apprenant que le saumon est l'espèce de poisson la plus cultivée. En fait, l'essentiel du saumon que nous consommons provient de l'aquaculture.

Le saumon de l'Atlantique a lui aussi pratiquement disparu des rivières et des océans. Sa population a déjà été de quatre à cinq fois supérieure à ce qu'elle est aujourd'hui[88]. Pour Paul Greenberg, auteur de *Four Fish*, le déclin rapide de cette espèce au xxᵉ siècle s'explique par les barrages construits sur les rivières où le saumon vient frayer et par les résidus de pesticides chimiques utilisés en agriculture. En effet, ceux-ci affaiblissent le système nerveux du saumon, le rendant plus vulnérable aux prédateurs tout en modifiant ses migrations.

Devant l'effondrement des stocks de saumon sauvage, on a naturellement pensé à l'aquaculture. Ce sont les Norvégiens qui, les premiers, ont développé ces techniques d'élevage dans les années 1960 et 1970. Ils ont croisé des familles de saumons de rivière pour mettre sur le marché un «saumon de compétition» qui grandissait deux fois plus vite que le saumon sauvage, réduisant d'autant les coûts de production. Aujourd'hui, le saumon est l'espèce de poisson la plus consommée au monde; les trois quarts des saumons proviennent d'aquaculture et ces saumons d'élevage ont tous le même ancêtre «de compétition» norvégien[89].

Que l'on soit en Norvège, au Chili, au Royaume-Uni ou au Canada, le saumon est donc à peu près le même. Des œufs éclosent et les jeunes poissons grandissent sur terre, dans de grands réservoirs d'eau douce. Douze à dix-huit mois plus tard, ils sont transférés dans des cages flottantes ou dans de grands filets que l'on dépose au large. Là, ils seront engraissés pendant un an ou deux avant d'être «récoltés». Il ne reste plus alors qu'à les acheminer aux poissonniers de l'Île-du-Prince-Édouard et dans le reste du monde. Sur l'étiquette, on lira «saumon de l'Atlantique».

Mais de quoi se plaint-on? N'a-t-on pas trouvé, avec l'aquaculture, la solution parfaite à la surpêche du saumon (et des autres espèces)? Le saumon d'élevage n'est-il pas une source de protéines saine, au goût apprécié, et cultivé à bas coût? Oui. Hélas, c'est l'environnement qui en paie le prix. Et la facture est salée : on pourrait peut-être parler du tartare à 200 dollars !

En effet, j'ai été stupéfaite de découvrir à quel point l'aquaculture reproduit dans l'eau beaucoup des problèmes des élevages industriels sur terre. C'est notamment le cas des questions environnementales qui ne sont pas sans rappeler celles de l'élevage intensif de la volaille ou du bétail.

- L'élevage intensif de saumons entraîne des infections contagieuses comme l'anémie et les poux de mer, qui se nourrissent en grignotant la peau des poissons. Partout à travers le monde, des élevages sont affectés et peuvent être complètement ravagés en quelques jours. De plus, tant les poux de mer que l'anémie peuvent être transmis aux saumons sauvages.

- Les éleveurs utilisent des pesticides pour combattre ces parasites. Les biologistes craignent que ces derniers ne s'accumulent dans le plancton et se retrouvent dans toute la chaîne alimentaire. On a d'ailleurs récemment détecté des traces d'un pesticide illégal dans des saumons d'aquaculture du Nouveau-Brunswick et, non loin de là, des homards morts sans que l'on en comprenne la cause.

- Des saumons d'élevage s'échappent fréquemment de leurs filets et se retrouvent en mer, où ils risquent de frayer avec des saumons sauvages. Or, le génome du saumon d'élevage étant désormais différent de celui du saumon sauvage, cette rencontre peut créer un saumon sauvage plus faible, incapable de nager contre les courants, de résister aux fluctuations de température et d'échapper aux prédateurs.

- Trois saumons produisent autant de déchets qu'un être humain. C'est donc dire qu'une ferme moyenne de 200 000 saumons répand dans l'environnement autant de matières fécales qu'une ville de 60 000 habitants (disons, Granby). Or, les déchets non traités contiennent souvent des antibiotiques et des pesticides qui s'en vont directement dans l'eau. De plus, ces déchets additionnés au surplus de nourriture qui n'a pas été consommée causent une concentration importante d'azote autour des élevages. Cela favorise la croissance d'algues, lesquelles absorbent de l'oxygène et en privent d'autres poissons[90].

Certes, ces problèmes pourraient être mieux contrôlés si les aquaculteurs utilisaient des contenants fermés plutôt que des filets pour amener les saumons à maturité. Mais les techniques sont coûteuses et le marché est très compétitif. Qui accepterait de payer plus cher sa darne pour s'assurer que les saumons ont été élevés dans des contenants fermés?

Le principal souci, avec le saumon d'élevage, demeure l'énorme quantité de nourriture exigée par ces petites bêtes. Le saumon est un carnivore, comme le bar, la dorade ou la truite : il mange d'autres poissons. Ces autres poissons, on va les pêcher en mer pour les transformer en boulettes (des bâtonnets de poisson pour poissons!) et les donner à manger aux saumons. Du beau gaspillage : on pêche environ trois kilos de sardines et de hareng (comestibles pour l'être humain) pour produire un kilo de saumon.

Les difficultés de l'aquaculture ne se cantonnent pas dans la production du saumon. De nombreux élevages de truites et de tilapias, par exemple, sont aussi des menaces pour l'environnement. En 2010, pour la première fois de l'histoire, l'aquaculture a mis plus de poissons dans nos assiettes que la pêche traditionnelle[91]. Le poisson d'élevage étant souvent beaucoup plus rentable que le poisson sauvage, cette inversion des courbes devrait s'amplifier dans les années qui viennent. Avec elle augmente aussi la responsabilité des éleveurs et des chercheurs : il faut trouver comment alimenter les poissons qui nous nourrissent, sans vider davantage les océans.

UN SAUMON AUX PESTICIDES ET AUX OGM ?

Santé, le saumon ? Il faut savoir que, comme la viande provenant d'élevages industriels, le saumon d'aquaculture contient des pesticides, des antibiotiques et même des colorants (sans lesquels sa chair ne serait pas rose). Certaines études concluent d'ailleurs que l'on ne devrait pas consommer plus d'une portion de saumon d'élevage par mois à cause des risques qu'il présente pour la santé[92].

On a aussi beaucoup parlé d'un saumon génétiquement modifié, ou OGM, développé à l'Île-du-Prince-Édouard et qui grossirait encore plus rapidement que le saumon «de compétition» norvégien. Aux États-Unis, la Food and Drug Administration (FDA) a déclaré que son étiquetage ne serait pas obligatoire, tandis que le Canada n'a pas encore statué sur la question.

Plutôt que d'être une judicieuse solution à la pêche, la culture du saumon affaiblit les espèces indigènes, cause des dommages environnementaux, constitue un gaspillage de ressources et pose un risque pour la santé humaine. On nous offre depuis peu du saumon dit «biologique», mais les règles de certification ne font pas consensus et le saumon bio semble tout aussi dommageable pour l'environnement que son cousin «traditionnel» – il contiendrait même davantage de conta-

Je mange avec ma tête

minants[93]. Il serait donc sage d'éviter de consommer tout saumon d'élevage. La solution la « moins pire », si l'on tient à impressionner ses invités avec un tartare, serait de choisir du saumon sauvage de l'Alaska, dont les stocks demeurent abondants et où les pêches sont généralement gérées de façon durable[94].

DES AQUACULTURES VERTES

Conscients des problèmes liés à l'élevage de saumons, plusieurs chercheurs essaient de repérer des espèces mieux adaptées à l'aquaculture; on pense en avoir trouvé une dans le barramundi. À l'état naturel, le barramundi a l'habitude de vivre très près de ses semblables, dans de petits étangs contenant peu d'oxygène. Et, autre grand avantage, il est principalement végétarien[95]. Des élevages de barramundis sont déjà bien implantés en Australie et en Asie du Sud-Est.

Ailleurs, l'aquaculture devient tout simplement un écosystème. Des lagunes à perte de vue, des flamants roses par milliers: Veta La Palma en Espagne a toutes les apparences d'un parc protégé. Pourtant, il s'agit d'une grosse aquaculture qui produit 1 200 tonnes de poisson par année. Les bars, dorades, rougets et crevettes qui y sont élevés le sont de façon absolument durable, en harmonie totale avec la nature. Les poissons sont nourris par les algues et les petites crevettes que l'on trouve naturellement dans l'eau de mer distribuée dans les étangs. La faible densité évite les infestations de parasites, et des plantes filtrent l'eau, éliminant de l'azote et du phosphore. Qui plus est, Veta La Palma est devenu un refuge pour 250 espèces d'oiseaux qui viennent s'y nourrir. Les oiseaux mangent 20 % de la production, une preuve, selon les propriétaires, que le système fonctionne bien[96]!

Combien pèse un kilo de crevettes?

La crevette, dont la consommation a triplé depuis les années 1970, constitue aujourd'hui le fruit de mer le plus consommé, devant le thon en boîte[97]. Et si elle est vendue à si bon marché, c'est d'abord parce qu'on a réussi à l'élever en grandes quantités.

Contrairement à l'élevage de saumons, qui se fait en mer, la crevetticulture se fait dans d'immenses étangs de plusieurs hectares. Ces derniers, que l'on retrouve principalement en Asie et en Amérique latine, sont créés par le déboisement des mangroves, c'est-à-dire des forêts humides. Le quart d'entre elles ont été détruites dans la dernière décennie, la majeure partie pour laisser place à des élevages de crevettes.

En 2008, la FAO a tiré la sonnette d'alarme: «Si le déboisement des mangroves se poursuit, il peut provoquer des pertes considérables de biodiversité et de moyens d'existence, en plus de l'intrusion du sel dans les zones côtières et de l'envasement des récifs coralliens, des ports et des couloirs de navigation[98].» Comme si ce n'était pas suffisant, l'élevage de crevettes est également polluant. En effet, la crevette se nourrit de plancton et de micro-organismes dont on encourage la croissance à l'aide d'antibiotiques et d'engrais. Comme dans l'élevage de mammifères, l'utilisation d'antibiotiques dans la production de crevettes crée des superbactéries qui menacent les poissons, le bétail et les êtres humains.

L'affaire s'est même déjà rendue devant les tribunaux. En 1996, des résidents des États d'Andhra Pradesh et du Tamil Nadu, dans le sud-est de l'Inde, ont engagé une action collective contre des producteurs de crevettes: ils ont réussi à prouver que, pour chaque roupie gagnée par les crevetticulteurs, la communauté en perdait de deux à quatre à cause des dommages faits à la pêche et aux autres ressources. La Cour suprême de l'Inde a ordonné la démolition des ins-

Je mange avec ma tête

tallations d'élevage de crevettes et la communauté a reçu une compensation[99].

Le bycatch *et le chalutage*
Malgré l'importance de l'élevage, les trois quarts des crevettes consommées proviennent toujours de la pêche[100]. La crevette se reproduit facilement et elle ne fait pas partie des espèces menacées ; sa pêche ne cause donc pas de problème en elle-même. En revanche, les techniques de pêche utilisées font souvent l'objet de critiques. Il faut savoir que l'on pêche la crevette à l'aide de grands filets. Ces filets capturent aussi « par accident » un volume important d'animaux marins. C'est ce qu'on appelle en anglais le *bycatch* et qu'on traduit par « prises accessoires ou collatérales ».

Les principaux pays exportateurs de crevettes n'appliquent pas de règlement contre les prises accessoires. Les pêcheurs thaïlandais, par exemple, ramasseraient 14 kg d'animaux marins (incluant des requins et des tortues de mer) pour chaque kilo de crevettes. La moyenne mondiale se situe autour de cinq kilos d'animaux marins par kilo de crevettes. Ces animaux pêchés accidentellement meurent généralement sur les quais des bateaux avant d'être rejetés en mer[101]. Lorsque l'on achète un kilo de crevettes au supermarché, c'est donc au moins cinq kilos d'animaux marins gaspillés qu'il faut ajouter sur la balance !

Comme si ce n'était pas assez, la pêche à la crevette est souvent pratiquée par chalutage de fond. Cette technique consiste à tirer d'énormes filets lestés sur les fonds marins. De grandes plaques de métal attachées à ces filets se déplacent sur des roues de caoutchouc, abîmant les fonds marins et détruisant ainsi les habitats de plusieurs espèces.

Hélas, le problème des prises accessoires et du chalutage ne se limite pas à la pêche aux crevettes. Selon Greenpeace, la pêche au thon cause la mort de nombreux requins et, chaque année, des milliers de cétacés (baleines, dauphins et marsouins) périssent coincés dans des filets qui ne leur étaient pas destinés[102]. Quant au chalutage, il est aussi largement utilisé pour pêcher d'autres espèces vivant au contact du fond : le merlan, la raie, la lotte, etc.

QUELS ANIMAUX MARINS PEUT-ON CONSOMMER SANS CULPABILITÉ ?

Listes, labels et environnement

Poissons menacés, aquacultures polluantes, techniques de pêche dommageables pour l'environnement… Pour nous aider à déterminer les animaux marins qu'il faut éviter de consommer et ceux dont la production est durable, des regroupements de scientifiques ont créé des listes et des labels.

Au Canada, cinq organismes reconnus à l'échelle internationale, dont la Fondation David Suzuki*, se sont regroupés pour former SeaChoice. En collaborant au programme de surveillance des poissons et fruits de mer Seafood Watch de l'Aquarium de Monterey Bay, en Californie, SeaChoice mène des évaluations et fournit des informations aux consommateurs. Pour SeaChoice, une pêche est durable lorsque les poissons et les fruits de mer sont pêchés ou cultivés à l'aide de moyens qui préservent la viabilité à long terme de l'écosystème, des océans et des animaux. SeaChoice exclut également les cultures comme celles du saumon qui menacent les espèces indigènes, polluent les eaux environnantes et nécessitent un apport important en protéines animales**.

---

*   La Fondation David Suzuki, la Société pour la nature et les parcs du Canada, Ecology Action Centre, Living Oceans Society et le Sierra Club British Columbia.

**   On peut trouver leurs recommandations en ligne au seachoice.org et même installer une application sur son téléphone intelligent.

Les scientifiques associés à SeaChoice ont créé trois listes : verte, jaune et rouge.

- Liste verte : les meilleurs choix. Ces espèces sont actuellement pêchées ou récoltées de façon durable.
- Liste jaune : ces produits ne devraient être consommés qu'occasionnellement ou lorsqu'il n'y a pas d'autres possibilités « vertes ». Les niveaux actuels de population ainsi que les pratiques de pêche laissent planer des inquiétudes quant à la conservation de ces espèces.
- Liste rouge : les espèces à éviter. Ces produits proviennent de sources qui présentent divers problèmes : perturbation des habitats, rejet d'espèces non ciblées, gestion déficiente des stocks, faibles populations, espèce déclarée menacée par certains gouvernements.

Lorsqu'on examine ces listes en détail, on est frappé par leur complexité. Certains types de crevettes et de morues, par exemple, figurent dans la liste verte alors que l'aiglefin peut être dans la liste verte, jaune ou rouge. Tout dépend de l'espèce exacte, du lieu de pêche et de la technique utilisée. Il semble difficile de s'y retrouver.

Pour nous aider, plusieurs chaînes de supermarchés commencent à mieux identifier leurs produits. Elles ont également promis de retirer des tablettes les poissons figurant sur la liste rouge. Un label « pêche durable MSC » (Marine Stewardship Council) a également été créé à la fin des années 1990 : il est apposé sur des produits transformés qui répondent à une série de normes. Au restaurant ou au marché, on peut se tourner vers les établissements certifiés par OceanWise, un organisme canadien qui appose son logo là où les poissons servis sont issus de la pêche durable.

N'empêche que, dans la vraie vie, au restaurant comme à l'épicerie, l'étiquetage est souvent incomplet : souvenons-nous du « poisson » en spécial ! Une récente enquête montrait que 22 % des produits avaient des problèmes d'étiquetage qui vont jusqu'à la substitution[103]. Le cas le plus fréquent de substitution est celui du saumon d'élevage de l'Atlantique (liste rouge) étiqueté comme du saumon sauvage du Pacifique (liste jaune). On a beau avoir toute la bonne volonté du monde, il est difficile de faire des choix durables devant un comptoir à sushis.

Même si l'on ne mange que des produits issus de pêches durables, il faut aussi se rappeler que les poissons aujourd'hui menacés ont déjà été abondants, que donc rien ne garantit que les poissons de la liste verte ne se retrouveront pas un jour sur la liste rouge. Consommer plus de poissons issus de pêches durables ne veut pas dire consommer plus de poisson ! La première règle pour préserver les réserves marines est en fait de réduire notre consommation de produits de la mer. La seconde règle est d'éviter les gros poissons : consommer des petits poissons, comme les sardines et les anchois, ou même des algues, qui sont au bas de la chaîne alimentaire, menace habituellement moins l'équilibre des écosystèmes[104].

(Mal)heureux comme un poisson dans l'eau

Le bien-être des poissons n'est pas du tout pris en compte dans les recommandations de SeaChoice. Pourtant, comme nous le verrons au prochain chapitre, les poissons sont des êtres sensibles capables de ressentir de la douleur au même titre que les oiseaux ou les mammifères. Or, ils figurent parmi les animaux les moins bien traités de tous ceux que consomment les humains.

Lorsqu'ils sont accrochés à une palangre, par exemple, les thons et les espadons peuvent attendre jusqu'à dix heures avant d'être remontés à la surface. Ils s'épuisent en essayant de s'échapper, mais plusieurs sont toujours vivants lorsqu'ils sont posés sur le pont, où ils meurent par suffocation. La pêche par chalutage est elle aussi douloureuse pour les prises. Les filets sont remontés rapidement à la surface et les poissons n'ont pas le temps de s'adapter à la baisse abrupte de pression. (Les plongeurs savent qu'il faut respecter des paliers de décompression pour revenir à la surface.) Leurs yeux se gonflent alors que leur estomac et leurs intestins ressortent parfois par la bouche et l'anus. Même les élevages industriels les moins soucieux de la souffrance animale ne traitent pas les mammifères de cette façon.

Qu'en est-il de l'aquaculture ? La situation dans les élevages de saumons, par exemple, ressemble à s'y méprendre aux élevages intensifs de poulets. L'eau est souvent tellement sale dans les bassins que les poissons ont du mal à respirer. Ils sont si nombreux qu'ils ne peuvent se conformer à leurs comportements naturels – lesquels impliquent des relations de hiérarchie entre les individus. Certains en viennent même à se manger entre eux.

À cela s'ajoutent les manipulations incessantes des aquaculteurs et les poux de mer qui leur dévorent littéralement la peau*. Des taux de mortalité de 10 % à 30 % ne sont pas rares. Les saumons survivants seront mis au jeûne forcé pendant dix jours (cela diminue les déchets pendant le transport), puis on leur tranchera les branchies avant de les jeter dans un réservoir d'eau où ils mourront au bout de leur sang[105].

Certains aquaculteurs sont néanmoins conscients du problème et entreprennent d'améliorer la qualité de vie des poissons. Par exemple, on observe beaucoup d'agressivité parmi les poissons au moment des

---

* Cherchez « salmon + sea lice » dans Google images : vous verrez des photos qui coupent l'appétit !

repas : ils se battent pour accéder à la nourriture. En modifiant le système pour permettre aux poissons de manger quand ils le veulent, on a pu diminuer le stress dans les bassins tout en minimisant la quantité de nourriture perdue[106].

Plusieurs pensent qu'il est urgent d'apprendre à capturer, à élever et à abattre les poissons plus humainement. Mais qu'est-ce que le bien-être du poisson ? Pour répondre à la question, des chercheurs essaient de comprendre leur comportement et les conditions de vie qu'ils préfèrent. Parallèlement, il importe, comme sur la terre ferme, d'encourager toute initiative d'amélioration de ce bien-être et de militer pour que les listes vertes tiennent compte de la souffrance : il n'y a aucune raison pour que les poissons ne soient pas traités avec les mêmes égards et le même respect que les animaux terrestres.

4

EST-CE QU'ELLE A EU MAL, LA PETITE POULE ?

La souffrance animale expliquée à Maé

La scène se déroule dans une cuisine de Verdun, dans le sud-ouest de Montréal. Maé, quatre ans et demi, et Julie, sa maman, sont en train de manger. Julie n'a pas fini d'avaler sa première bouchée quand Maé l'interrompt :

— Maman ? Le poisson, il fait comment pour respirer dans l'eau ?

— Ce n'est pas du poisson que tu manges, c'est du poulet.

— Du poulet ?

— Oui, un poulet, une poule.

— Du poulet, c'est une petite poule ?

— Oui.

— Mais qui l'a tuée, la petite poule ?

— Je ne sais pas, Maé. Un monsieur.

— Mais est-ce qu'elle a eu mal, la petite poule ?

— Tu demanderas à Élise !

C'est mon amie Julie qui m'a raconté l'anecdote. La question que Maé se pose à quatre ans et demi, on se la pose tous. L'empathie envers les animaux et la sensibilité à leur souffrance constituent souvent le point de départ d'une réflexion sur notre alimentation. Si les animaux ne souffraient pas, les discussions sur nos choix alimentaires se réduiraient à des questions de santé et de répercussions environnementales. Mais que faut-il répondre à Maé?

NOCICEPTION, DOULEUR ET SOUFFRANCE

La souffrance animale est encore peu étudiée. Nous savons peut-être instinctivement qu'il n'est pas bien d'infliger du mal aux animaux. Mais qu'est-ce qu'avoir mal? Et les animaux sont-ils «réellement» capables de souffrir? La souffrance animale a souvent été relativisée. Intuitivement, on est d'accord pour dire que les animaux ressentent la douleur, mais peut-être pas comme les êtres humains. La souffrance humaine impliquerait une dimension psychologique qui serait hors de l'expérience des animaux. Qu'en est-il réellement?

Au XVIIᵉ siècle, le philosophe René Descartes pensait que les animaux étaient plutôt comme des machines. Des automates compliqués, capables de réagir à divers stimuli, mais incapables de souffrir vraiment. On raconte même que son disciple, Nicolas Malebranche, en battant son chien, avait un jour affirmé: «Ça crie mais ça ne sent pas!» Pour Descartes comme pour Malebranche, si les animaux ne pouvaient pas souffrir, c'est parce que, contrairement aux êtres humains, ils n'avaient pas d'âme.

Cette distinction nous a longtemps permis d'infliger aux animaux des traitements qu'on n'accepterait pas de faire subir aux hommes. Heureusement, la compréhension de la souffrance a évolué depuis le XVIIe siècle. On sait aujourd'hui que, s'il y a une différence entre la souffrance animale et la souffrance humaine, c'est dans le degré de connaissance du sujet souffrant qu'elle réside, et non pas dans la nature de la souffrance elle-même. L'animal, par exemple, ne sait pas qu'il va mourir au bout du couloir, l'homme peut souvent le deviner.

D'un point de vue physiologique, nous avons, comme les autres mammifères, les invertébrés, les poissons et même les mouches à fruits, des récepteurs sensibles à la douleur, appelés nocicepteurs. Lorsqu'ils sont stimulés, les nocicepteurs font naître un message nerveux qui est relayé par des circuits spécialisés jusqu'au cerveau, où il sera interprété pour engendrer une réponse automatique, un réflexe. Il s'agit là de systèmes très anciens d'un point de vue évolutif ; on les trouve chez des animaux primitifs comme les coraux et les anémones de mer. Lorsque l'influx nerveux provenant des nocicepteurs provoque une sensation désagréable qui entraîne une réaction physique (retirer sa main du feu, crier), on parle alors de douleur[107].

La souffrance, quant à elle, est plus difficile à définir, à appréhender. C'est l'aspect émotif de la douleur. La souffrance est donc non seulement une sensation, mais aussi une sorte d'expérience consciente, complexe, propre à chaque situation et à chaque personne. La douleur d'une migraine, d'un accouchement, d'une activité physique intense, d'une brûlure sévère, d'un coup de poing ou de la perte d'un être cher n'ont pas grand-chose en commun : ma peine d'amour ne ressemble pas à la vôtre. Encore une fois, c'est que souffrir est lié à l'expérience, à l'idée que l'on s'en fait, à ce qu'on en dit, aux capacités cognitives et même à la culture.

LA SOUFFRANCE DES BÉBÉS

Jusqu'à la fin du xxᵉ siècle, les médecins croyaient que les bébés n'avaient pas la capacité de souffrir ou, en tout cas, qu'ils ne souffraient pas autant que les adultes parce que leur cerveau n'était pas complètement formé. Dans les années 1980, des bébés étaient encore opérés sans anesthésie. On leur donnait simplement une substance paralysante, ce qui les empêchait de se débattre ou de crier. Les réactions physiques à la douleur présumée étaient alors expliquées comme des réactions inconscientes.

Il y a à peine dix ans, une très grande majorité des garçons américains étaient circoncis ; lors de l'intervention, on avait recours à l'anesthésie une fois sur deux[108]. Les médecins avaient alors des doutes à propos des effets secondaires des anesthésiants sur les bébés, on affirmait que l'opération ne causait que très peu de douleur et que, de toute façon, la douleur de l'injection du médicament serait aussi grande que la douleur de l'opération elle-même[109].

Lorsque des chercheurs se sont penchés sur les effets de la circoncision sans anesthésie, ils ont découvert que les bébés qui avaient subi une telle chirurgie avaient, même six mois après l'opération, des comportements rappelant le stress post-traumatique*. Ils ont aussi observé une plus grande sensibilité à la douleur chez ces enfants[110]. Finalement, bien qu'on ait pu croire que les bébés prématurés ne pouvaient pas souffrir parce que leur cerveau n'était pas suffisamment développé, des tests récents par résonance magnétique (IRM) ont montré de l'activité dans le cortex lorsqu'on

---

* Après la publication d'études recommandant l'utilisation d'anesthésiants lors de chirurgies, la proportion de médecins utilisant des anesthésiques pendant les circoncisions est passée à 97% en 2006.

Je mange avec ma tête

leur fait une entaille au talon (une pratique nécessaire à la prise de sang).

Même si nous ne sommes pas absolument certains que les bébés prématurés soient complètement conscients, une telle observation constitue une preuve suffisante pour que l'on décide de leur donner des analgésiques lorsque c'est possible[111].

Le cri de la carotte

Un médecin peut observer qu'une peau est brûlée au troisième degré ou faire une radiographie pour vérifier si un os est brisé afin de prodiguer les soins appropriés. Mais comment mesurer la douleur? Comme il n'existe pas de «dolorimètre», le médecin doit se baser sur ce que lui dit son patient. Or, la douleur a quelque chose de subjectif. La comprendre et la mesurer a toujours été problématique pour le corps médical. On demande parfois aux patients d'évaluer leur douleur sur une échelle de 1 à 10, ce qui permet d'ajuster les traitements. Mais comment évaluer la douleur et la souffrance chez une personne incapable de la décrire? Et à plus forte raison, chez un animal?

Tous les végétariens ont déjà entendu l'argument du «cri de la carotte». Cela se passe généralement au cours d'un repas en compagnie de convives omnivores, souvent après quelques bouteilles. On parle de la souffrance des poules. C'est alors qu'un petit malin demande: «Mais comment être sûr que les carottes ne souffrent pas?» Le végétarien se sent obligé d'esquisser un sourire en espérant qu'on changera de sujet. Mais il arrive parfois que le petit malin soit sérieux, qu'il tienne le cri de la carotte pour un argument qui mérite une réponse! Un peu gêné, le végétarien est donc contraint d'expliquer que les carottes n'ont pas de système nerveux.

En rapportant la souffrance animale du côté de la « souffrance » végétale, on cherche à tracer une frontière étanche entre notre souffrance et celle des animaux. On souhaite réhabiliter l'idée d'une différence de nature. Car chacun devine bien que si les animaux peuvent souffrir, ils devront être considérés moralement. Pour la plupart des philosophes, la sensibilité est même le principal critère pertinent de la considération morale[112].

Plusieurs invertébrés, des insectes aux vers de terre (et peut-être même certaines plantes), affichent des réactions qui s'apparentent à la nociception. Il est facile d'imaginer que la sélection naturelle a favorisé les espèces capables de reconnaître et de fuir le danger. Mais réagir par automatisme, ce n'est pas souffrir. Pour souffrir, il faut être conscient de la douleur ou du danger.

La souffrance des bébés a nécessité des preuves « scientifiques » pour être reconnue. Quelles preuves tenons-nous de la souffrance animale ? Répondons à Maé en examinant de plus près la question.

Comment les animaux réagissent-ils à la douleur ?

Alors qu'elle n'avait que quelques mois, ma chatte Souzex* jouait sur le balcon de mon appartement au troisième étage avec un autre chat dont j'avais la garde. Et vlan ! La voilà qui tombe dans la rue. Chez le vétérinaire, les radiographies ont montré qu'elle s'était cassé une patte. Une fois le choc initial passé (tant pour elle que pour moi), elle avait commencé

---

* J'ai nommé ma chatte Souzex parce qu'elle est aussi noire qu'une photographie sous-exposée !

à miauler très fort dès que je lui touchais la partie blessée. Elle avait aussi tendance à se cacher et à lécher sa patte. Tout naturellement, j'interprétais ses réactions comme de la douleur et je ressentais de l'empathie pour elle. Mais le fait que Souzex ait eu des réactions semblables à celles d'un être humain signifie-t-il qu'elle avait mal?

Chez l'humain, des réactions physiques telles qu'un souffle plus rapide, la sécrétion d'hormones de stress (le cortisol), la perte d'appétit ou la nausée sont associées à la douleur. On les observe aussi chez plusieurs animaux et chez les poissons. Modifier sa posture et toucher une blessure semblent également des indices fiables, même si certains animaux comme les vaches vont plutôt tenter de cacher leur douleur.

Pour savoir si les poissons avaient des réactions à la douleur, des chercheurs ont injecté du venin d'abeille dans les lèvres de certaines truites et une solution d'eau salée chez d'autres. Ils ont ensuite observé les comportements des deux groupes placés dans un aquarium. Les truites qui avaient reçu du venin ont vite eu des réactions anormales. D'abord, elles ont commencé à osciller, un comportement qui est aussi observé chez les mammifères stressés, puis elles ont frotté leurs lèvres sur le gravier et les parois de l'aquarium. Les truites qui avaient reçu une solution d'eau salée n'ont eu aucun comportement particulier[113]. Le fait que les poissons qui ont reçu une injection désagréable ont eu un comportement différent de ceux qui ont reçu une injection «neutre» suffit pour affirmer qu'ils sont capables de ressentir de la douleur. En 2010, un panel scientifique de l'Union Européenne a d'ailleurs conclu que l'état actuel de la recherche permettait de soutenir que les poissons ressentent la douleur[114].

Les études sont allées plus loin chez les rats. On sait que les rats préfèrent naturellement l'eau sucrée à une eau au goût médicamenteux. Or, on a observé que les rats souffrant d'arthrite choisissaient quand même l'eau à laquelle on avait ajouté un analgésique. Choisir de s'administrer un médicament, même si le goût est déplaisant, est un premier indice que les rats ont conscience de leur douleur et cherchent à l'enrayer[115]. Les oiseaux blessés ont des comportements similaires, apprenant rapidement à reconnaître et à manger en priorité de la nourriture contenant des analgésiques[116]. Comme chez les bébés humains, on observe enfin une plus grande sensibilité accompagnée d'une peur accrue chez les animaux qui ont subi des douleurs importantes[117].

CONSCIENCE = SOUFFRANCE

Va pour la douleur. Mais les animaux souffrent-ils ? Le test ultime pour déterminer s'il y a conscience – et donc souffrance – demeure l'activité dans le cortex. Un test d'imagerie par résonance magnétique (IRM) sur des bébés prématurés a montré de l'activité corticale ; bien que nous ne soyons pas absolument certains que ces bébés soient tout à fait conscients, nous leur laissons le bénéfice du doute. Jusqu'à maintenant, peu de tests d'IRM ont été faits sur des animaux, pour des raisons de coûts et de logistique, mais on peut tout de même chercher à savoir si les animaux sont conscients en observant leurs comportements.

La question de la conscience est plus difficile à évaluer chez les poissons puisqu'on sait qu'ils n'ont pas de cortex*. Cette absence de matière grise est souvent invoquée comme preuve de leur incapacité de souffrir. On a d'ailleurs tous un peu l'impression que les poissons ne sont pas vraiment capables de souffrir. On ne

---

* Le cortex est la partie la plus récente du cerveau humain, du point de vue de l'évolution, aussi présente chez les mammifères et chez les oiseaux.

Je mange avec ma tête

s'imagine pas percer un trou au palais d'un orignal, y accrocher une corde et le traîner accroché à un pick-up pendant quelques mètres pour le laisser mourir lentement sur l'asphalte. Ce serait là de la cruauté inutile. C'est pourtant l'équivalent du traitement qu'on inflige sans remords aux poissons lorsqu'on les pêche à la ligne, en tenant pour acquis qu'ils ne sentent pas grand-chose...

Plusieurs scientifiques croient que les poissons auraient des capacités cognitives assez évoluées. Leur cerveau pourrait simplement fonctionner différemment de celui des mammifères : on sait par exemple que les poissons sont capables de latéralisation – chaque hémisphère du cerveau est dévolu à des tâches spécifiques –, alors que cette fonction est exercée par le cortex chez l'humain[118]. Ce n'est pas parce que les animaux abordent le monde différemment qu'ils sont incapables de ressentir des émotions ou d'éprouver une certaine forme de souffrance. Sont-ils conscients pour autant ?

La conscience animale

On définit la conscience comme la faculté de connaître sa propre réalité et de la juger[119]. Plus concrètement, comment doit-on évaluer la conscience ? La question est périlleuse et je me contenterai ici d'une esquisse de réponse. Le philosophe américain Ned Block[120] propose d'identifier trois aspects de la conscience chez l'humain :

1 – l'aptitude à générer des images mentales que l'on peut ensuite rassembler pour guider ses décisions ;

2 – la perception subjective de son environnement liée à la capacité de ressentir des émotions ;

3 – la capacité de penser à ses propres actions et d'envisager différents scénarios.

Bien entendu, on ne trouvera pas dans les comportements des animaux la preuve absolue qu'ils sont conscients. On peut néanmoins chercher des éléments qui suffiront à nous fournir un doute raisonnable.

Les pigeons, par exemple, sont capables de reconnaître des centaines de photographies et de s'en souvenir pendant des années. Ils mémorisent des repères visuels et les combinent pour créer des plans de la région autour de leur nid. Lorsqu'ils sont relâchés dans une région qu'ils ne connaissent pas, ils vont survoler l'endroit jusqu'à ce qu'ils retrouvent un lieu qu'ils connaissent. Ils utiliseront ensuite leur carte mentale pour rentrer à la maison – un peu comme nous le faisons lorsque nous cherchons notre hôtel dans une ville étrangère, nous assurant de repérer la fontaine qu'on avait remarquée au départ. Les pigeons seraient donc capables de créer des représentations mentales, ce qu'on peut associer au premier critère de la conscience.

Une étude récente cherchait à savoir si les truites pouvaient modifier leur comportement sous certaines conditions[121]. Les truites n'aiment pas être isolées et elles sont fortement attirées par les autres poissons. On a placé des truites dans un aquarium dont une petite partie était électrifiée et donnait des décharges. Très vite, les truites ont appris à éviter cette zone. Quand elles ont eu bien connu l'aquarium, on y a laissé une seule truite, puis ajouté un compagnon derrière une paroi de verre. La truite isolée s'est alors déplacée dans la zone électrifiée pour se rapprocher de l'autre. Autrement dit, la truite était prête à subir des décharges électriques pour satisfaire sa préférence « sociale ».

Des expériences similaires ont été faites chez les volailles : quand les poulets reçoivent une récompense en frappant du bec un levier, puis une récompense plus importante en attendant 22 secondes, ils apprennent à attendre dans 90 % des cas[122]. (Maé, serais-tu capable d'attendre, toi?) Que faut-il en conclure? Que les truites et les volailles adaptent leurs comportements au contexte. Elles ont des préférences (mieux vaut être électrocutée que seule, par exemple) et font des choix subjectifs qui correspondent à ces préférences. Voilà qui semble en partie renvoyer à la seconde dimension de la conscience.

La troisième dimension est la capacité de réfléchir à ses actions et d'envisager différents scénarios. Ainsi, on a tenté d'apprendre à des porcs à jouer à un jeu vidéo à l'aide d'une manette adaptée à un groin. Ils y sont parvenus plus vite que des chimpanzés. Jouer à des jeux vidéo démontre la capacité à la représentation abstraite. Les cochons peuvent également apprendre à soulever non seulement le loquet de la porte de leur enclos, mais aussi ceux des portes d'autres porcs[123]. De leur côté, les chimpanzés se fabriquent des outils ingénieux pour accéder à leur nourriture[124]; certains corbeaux construisent des crochets en fil de fer pour accéder à un petit panier dans lequel sont placées des graines[125]. Les poissons ne sont pas en reste. Des mérous, par exemple, font équipe avec des anguilles pour chasser une proie réfugiée dans les coraux où ils ne peuvent accéder: non seulement ils adaptent leur chasse au contexte, mais ils ont appris à communiquer leurs intentions aux anguilles[126]. Tous ces exemples suggèrent une conscience «stratégique», une capacité à prévoir des événements et à résoudre des problèmes.

Des animaux sont donc capables de manipuler des représentations mentales, d'adapter leurs actions au contexte ou de réfléchir stratégiquement. Les scientifiques y voient suffisamment d'indices pour croire qu'ils possèdent une forme de conscience[127]. Et s'il y a conscience, il y a conscience de la douleur, donc capacité de souffrir.

Crustacés et mollusques: des animaux qui ne souffrent pas?

On peut penser que le degré de conscience est plus ou moins en lien avec le degré d'évolution… Si les mammifères, les oiseaux et les poissons montrent des signes de conscience et pourraient par conséquent souffrir, qu'en est-il des crustacés et des mollusques? La question est plus difficile. Nombreux sont ceux qui croient en fait que les invertébrés ne peuvent pas ressentir de douleur. Cependant, si nous avons des doutes sur la capacité des homards, des crabes et des crevettes à ressentir de la douleur, nous pourrions, comme le suggère l'éthicien Peter Singer, les traiter comme s'ils pouvaient souffrir tant que cela ne nous en coûte pas trop[128].

À l'instar des crustacés, certains mollusques ont déjà le «bénéfice du doute». Le Conseil canadien de protection des animaux, organisme qui élabore et met en œuvre les normes relatives au soin et à l'utilisation éthiques des animaux en science au Canada, protège les céphalopodes (pieuvres et calmars) de l'expérimentation abusive au même titre que les vertébrés. Les pieuvres ont en effet un cerveau et un système nerveux extrêmement développés et sont parmi les invertébrés les plus intelligents. Elles peuvent par exemple apprendre en moins d'une heure à ouvrir une bouteille de médicaments à l'épreuve des enfants. Les capacités cognitives des pieuvres ne signifient pas qu'elles peuvent ressentir la douleur, mais suffisent pour qu'on les ajoute aux crustacés, parmi ces animaux qui «pourraient» souffrir.

Quant aux coquillages et aux oursins, ils appartiennent au règne animal, mais ils ont quand même un peu l'air de «végéter»… En fait, ce qui leur «manque» pour être des plantes, c'est la faculté de photosynthèse et une paroi faite de cellulose. Ils seraient alors assez près des algues. Dans le même

Je mange avec ma tête

esprit, les formes de vie très primitives que sont les éponges de mer ou les coraux sont elles aussi considérées comme des animaux. Mais ces espèces peuvent-elles souffrir ? Les coquillages ne semblent pas avoir de système nerveux central et ne devraient donc pas ressentir de la douleur.

Pour en avoir le cœur net, j'ai posé la question à Victoria Braithwaite, directrice adjointe du Penn State Institute of the Neurosciences et auteure de *Do Fish Feel Pain?* : « Pour le moment, m'a-t-elle répondu, nous n'avons pas de preuves suffisantes qui permettraient de conclure que les invertébrés peuvent ressentir de la douleur. On peut être prudent en ce qui concerne les calmars et les pieuvres (et peut-être aussi les crabes et les homards) jusqu'à ce que nous ayons fait des expériences qui démontreraient de façon définitive la sensibilité de ces créatures. Mais au-delà de ces espèces, je pense que nous pouvons prudemment conclure que les animaux tels que les coquillages ne ressentent pas de douleur[129]. »

DE LA VIANDE GARANTIE ZÉRO SOUFFRANCE ?

On vient de le voir, les huîtres et les coquillages sont probablement insensibles à la douleur. Mais existe-t-il d'autres protéines animales dont la production n'implique pas de souffrance ? Autrement dit, quelles pourraient être les exceptions éthiques à un régime végétarien ?

1 – Les insectes, dépourvus de système nerveux central, sont probablement un mets d'avenir. Ils constituent d'ailleurs déjà un plat de base dans de nombreuses cultures : plus des trois quarts des nations autour du monde consommeraient 1000 espèces d'insectes

différentes[130]. La production d'insectes comme les criquets, les sauterelles et les vers de terre émet moins de gaz à effet de serre que la production de viande pour la même quantité de protéines. Le seul défi est de les apprêter !

2 – Une deuxième possibilité, plus hypothétique que réaliste celle-ci, consisterait dans le charognage, c'est-à-dire la consommation des animaux morts naturellement : si vous mangez votre chat domestique décédé de cause naturelle, vous ne produisez aucune souffrance. Encore faut-il le vouloir…

3 – Une option qui se rapproche de la précédente, c'est de ne jamais acheter de viande mais de consommer celle qui serait gaspillée autrement. Certes, l'animal a souffert, mais en ne l'achetant pas, on n'encourage pas le système de l'offre et de la demande. C'est par exemple ce que font certains déchétariens en allant s'approvisionner dans les poubelles des supermarchés (voir le chapitre 8).

4 – Enfin, une dernière idée relève aujourd'hui de la science-fiction mais pourrait s'avérer la panacée du carnivore éthique : manger de la viande produite par culture cellulaire. De la viande qui pousse sans être raccordée à aucun système nerveux. La technologie existe déjà – on l'utilise par exemple pour fabriquer des greffes de peau. L'organisme PETA (People for the Ethical Treatment of Animals) a offert un million de dollars américains à la première personne qui réussirait à produire de la viande *in vitro* en quantités commercialement viables d'ici 2012[131]. À l'heure actuelle, quelques scientifiques à travers le monde travaillent sur ce projet, notamment aux Pays-Bas et aux États-Unis[132].

Je mange avec ma tête

Peter Singer abonde dans le même sens : « Il y a peut-être un tout petit peu plus de doute sur la manière dont les huîtres pourraient ressentir de la douleur qu'il n'y en a pour les plantes, mais c'est selon moi hautement improbable. Et même si vous pouvez leur accorder le bénéfice du doute, vous pouvez aussi dire que, tant qu'on n'aura pas plus de preuves sur cette capacité sensible, le doute est si infime qu'il n'y a aucune raison de ne pas manger d'huîtres élevées dans des parcs durables[133]. »

L'attitude des humains face à la douleur a beaucoup évolué au cours des dernières décennies – il suffit de voir les changements récents dans la prévention et le traitement de la souffrance chez les très jeunes enfants qu'a amenés l'observation d'activité corticale par IRM. Chez les animaux aussi, l'absence de communication verbale a longtemps été une barrière difficile à surmonter dans l'évaluation de la douleur, et les tests de résonance magnétique sont encore peu utilisés. Et si l'on peut en quelque sorte saisir la douleur d'un chat à son regard et à son comportement, nous avons beaucoup plus de mal à comprendre ce que ressentent les oiseaux, les poissons et les invertébrés.

Si nos intuitions nous ont trompés pendant des siècles en ce qui concerne la souffrance des bébés parce que ces derniers étaient incapables de l'exprimer, il n'est pas surprenant d'avoir pensé pendant aussi longtemps que les poules ou les poissons, si différents de nous, ne pouvaient pas souffrir. Mais bien qu'on ne puisse jamais savoir ce que l'animal ressent réellement, de nombreux indices nous permettent de croire que les animaux souffrent et qu'on devra tenir compte de cette souffrance dans notre attitude à leur endroit.

Voilà, Maé. La poule a fort probablement eu mal. Maintenant, va te coucher !

5

UN SOUPER CHEZ
SARAH PALIN

*Dix bonnes raisons de
manger de la viande?*

Comme je le disais dans l'avant-propos, tout a commencé avec un livre d'éthique animale. C'est Martin Gibert, le professeur de philosophie avec qui je vis, qui l'avait commandé. Martin voulait l'utiliser dans un cours d'introduction à l'éthique qu'il donnait à l'Université de Montréal. Je réalise aujourd'hui que mon intérêt pour ces questions vient aussi un peu de lui, et c'est ensemble que nous avons exploré le végétarisme.

Il était donc naturel que je lui demande de collaborer à ce chapitre plus polémique et argumentatif – après tout, c'est son métier! Le point de départ allait de soi. N'importe quel végétarien qui partage son repas a déjà fait cette expérience. On lui demande de justifier son régime. Et de répondre à des objections. Il n'a donc pas été difficile d'imaginer une petite discussion fictive qui résume celles que nous avons entendues le plus souvent. Et pour incarner notre interlocuteur, qui de mieux que cette adversaire déclarée du végétarisme, l'égérie conservatrice américaine Sarah Palin?

Nous aurions sans doute préféré passer la soirée avec Moby, Paul McCartney, Albert Einstein, Léonard de Vinci ou le prix Nobel de littérature J.M Coetzee*. Mais ce soir-là, à Wasilla, en Alaska, il y avait de la lumière dans la maison de Sarah Palin. Nous avons frappé. Et c'est Sarah elle-même qui nous ouvrit. Elle s'apprêtait à souper; elle serait ravie de recevoir des hôtes québécois.

Tandis qu'un feu de bois crépitait dans la cheminée, les langues se délièrent et la discussion s'aventura sur le contenu des assiettes. Si nous avions lu son autobiographie, nous aurions probablement pu prévoir la suite. En effet, l'ex-candidate républicaine à la vice-présidence des États-Unis y confie ses goûts culinaires. « J'aime la viande. Je mange des côtelettes de porc, des burgers au gros bacon et le bord gras bien saisi d'un steak cuit médium. Mais ce je préfère, c'est encore l'orignal et le caribou. Je rappelle toujours aux gens des autres États qu'il y a plein de place pour les animaux en Alaska – juste à côté des patates pilées[134]. »

Cette soirée imaginaire chez Sarah Palin sera l'occasion de présenter quelques arguments moraux à propos du végétarisme et de faire un peu d'éthique animale, c'est-à-dire de réfléchir à « la responsabilité morale des hommes à l'égard des animaux pris individuellement[135] ».

Qu'elles soient liées à la souffrance animale, à l'environnement ou à la santé humaine, nous avons déjà

---

* On l'aura deviné, il s'agit là de végétariens célèbres.

Je mange avec ma tête

vu plusieurs bonnes raisons d'éviter certains plats. Mais qu'en est-il des contre-arguments? Peut-on trouver de bonnes raisons morales de manger de la viande? Ce chapitre en retient dix, plus ou moins courantes et solides. Il ne nous reste plus qu'à imaginer Sarah Palin dans sa plus belle robe et avec son plus beau sourire. De la cuisine se dégage une douce odeur d'orignal braisé.

Première raison : c'est la volonté de Dieu

Toujours dans son autobiographie, Sarah Palin expose sa «philosophie» de carnivore : «Si je recevais des végans à souper, je leur préparerais une salade et leur expliquerais ensuite ma philosophie de carnivore. Si Dieu ne voulait pas qu'on mange d'animaux, pourquoi les aurait-il faits en viande[136]? »

L'argument est assez simple – et même simpliste –, mais il mérite d'être entendu : ne pas manger de viande, c'est aller contre la volonté de Dieu. Le Créateur devait bien savoir ce qu'il faisait en créant les animaux. Qui sommes-nous pour le contredire?

Dans l'Ancien Testament, le récit de la Genèse (I, 26) confirme d'ailleurs cette idée. Cela se passe le sixième jour : «Dieu dit : Faisons l'homme à notre image, selon notre ressemblance, et qu'il domine sur les poissons de la mer, sur les oiseaux du ciel, sur le bétail, sur toute la terre et sur tous les reptiles qui rampent sur la terre.» Pourquoi cela? Quelle est la différence fondamentale entre l'homme et les autres créatures?

C'est que, contrairement aux animaux, l'homme est à l'image de Dieu. Il s'agit d'une conception anthropocentrique de la création : l'homme est au centre et les animaux à la périphérie. Voilà pourquoi nous pourrions légitimement dominer les animaux : ils sont là pour satisfaire nos besoins – et en particulier nos besoins en calories. Autrement dit, les animaux n'ont pas de valeur morale intrinsèque, c'est-à-dire indépendamment de nous ; ils ont seulement une valeur instrumentale.

Cette conception anthropocentrique qui accompagne le christianisme et les autres grandes traditions monothéistes que sont le judaïsme et l'islam a largement imprégné la culture occidentale. Elle explique sans doute qu'une partie d'entre nous a même du mal à voir que manger de la viande puisse poser un problème moral. Pourtant, du point de vue philosophique, l'argument est plutôt faible. Puisque Sarah Palin aime les expériences de pensée, on pourrait bien imaginer, à notre tour, ce qu'on pourrait lui répondre.

Il faut d'abord dire que l'argument de la volonté de Dieu est ce qu'on appelle un *argument d'autorité* : c'est vrai parce que X (Dieu, Platon, Einstein, mon papa) le dit. Lorsqu'un professeur de philosophie lit un tel raisonnement dans un travail de session, il fronce les sourcils. Dans l'exemple qui nous intéresse ici, il suffit d'être athée – ou d'avoir minimalement compris la théorie de l'évolution – pour n'y voir qu'un mythe parmi d'autres. D'ailleurs, les religions ne manquent pas de mythes, tout comme l'humanité ne manque pas de religions plus accueillantes aux végétariens. C'est le cas, par exemple, du bouddhisme et de l'hindouisme (Gandhi était végétarien). Bref, l'ennuyeux avec l'argument d'autorité, c'est qu'on peut toujours lui préférer une autre autorité.

Même au sein des religions monothéistes, il existe des interprétations qui remettent en question la vision anthropocentrique (des interprétations plus « zoocentristes »). Certains théologiens soutiennent, par exemple, qu'il ne faut pas se contenter du sixième jour. Un tout petit *flash-back* (à ce stade de la Genèse, on ne peut pas en demander beaucoup plus) nous rappellerait qu'au cinquième jour «Dieu créa les grands poissons et tous les animaux vivants qui se meuvent, et [que] les eaux produisirent en abondance selon leur espèce; il créa aussi tout oiseau ailé selon son espèce». Les animaux étaient donc là avant les hommes! Ce qui ne colle pas vraiment avec l'idée que les animaux furent créés *pour* les hommes. Et quant à la valeur purement instrumentale des animaux, elle ne va pas non plus de soi puisque la Bible souligne aussitôt que «Dieu vit que cela était *bon*». D'ailleurs, saint François d'Assise parlait des loups comme de ses frères et des oiseaux comme de ses sœurs; quant au pape Benoît XVI, il s'est déjà prononcé contre l'élevage industriel[137]. N'en déplaise à Sarah, on peut donc être tout à fait chrétien et considérer les animaux autrement qu'en accompagnement des patates pilées.

DEUXIÈME RAISON:
C'EST UNE QUESTION DE CHOIX PERSONNEL

Mais cela n'empêche nullement Sarah d'appliquer la vertu chrétienne de l'hospitalité et de passer de la parole aux actes. Elle débouche une bouteille de malbec californien avant de se servir une large portion de chili d'orignal avec des frites. Puis elle nous tend une salade de quinoa au tofu et graines de lin (on trouve vraiment de tout dans les épiceries de Wasilla). Elle l'accompagne même d'un commentaire éditorial: «Vous voyez, je respecte votre choix de ne pas manger de viande. On est comme ça, en Amérique. C'est la liberté!»

L'«argument» le plus fréquent en faveur du régime carnivore consiste sans doute dans une forme de tolérance polie: chacun peut bien faire comme il l'entend. Autrement dit, être végétarien serait une question de choix personnel. C'est aussi ce que suggère Sarah: servez-vous de la salade, mais ne venez pas m'enlever mon burger. À chacun ses goûts ! Même en Alaska, il y a de la place pour les croyances individuelles des végétariens. Mais s'agit-il vraiment là d'une question de choix personnel ?

Supposons un instant que la discussion porte sur le mensonge, la peine de mort ou les détournements d'argent public. Devrait-on dire, par exemple, que détourner l'argent public est une question de choix personnel ? À chacun ses goûts : je respecte que vous soyez contre, mais ne me faites pas culpabiliser pour mes enveloppes brunes ! Dans ce cas, la tolérance paraîtrait déplacée. Car si toute action volontaire est effectivement le résultat d'un « choix personnel », cela ne signifie pas que nos raisons d'agir sont toujours personnelles. Et c'est tout particulièrement le cas lorsque ces raisons sont morales. Par exemple, si je suis contre la peine de mort, c'est parce que je considère que c'est mal. Pas seulement mal pour moi ; pas seulement mal dans ma société ; mais mal *en soi*. Comme le suggérait le philosophe Emmanuel Kant, c'est même une des marques de la moralité : une raison morale de faire ou de ne pas faire quelque chose doit chercher à être universelle et partageable.

Le problème avec l'argument du « choix personnel », c'est donc qu'il ignore la dimension morale de la question. Sarah Palin peut bien préférer mettre une nappe blanche plutôt que rouge sur la table : c'est un choix esthétique et, dans ce domaine, la tolérance semble tout à fait appropriée. Mais adopter la même attitude avec notre rapport aux animaux, ce serait tout simplement esquiver tout débat éthique. Or, comme les chapitres précédents l'ont montré, nos choix personnels ont des conséquences sur des êtres sensibles. Bref, choisir ce que l'on mange n'est pas seulement une affaire de papilles gustatives. C'est d'ailleurs l'idée centrale de ce livre.

Troisième raison : c'est dans notre nature

Sarah arrête un instant de mastiquer et prend du recul sur sa chaise. Elle s'apprête à livrer son argument massue, l'arme fatale contre le végétarisme. Un sourire de plateau de télé caresse ses lèvres. «Voyons, chers convives! Depuis la préhistoire, les hommes ont toujours mangé de la viande. C'est dans notre nature.»

Que faut-il en penser? Une chose est certaine: tout cela est vrai. Les humains sont bien des omnivores. Ils sont donc en partie carnivores et les préhistoriens nous confirment que c'est une vieille histoire. Mais est-ce vraiment une *raison* de manger de la viande? Pour répondre à cette question, un petit détour conceptuel est nécessaire.

On doit d'abord distinguer deux types d'affirmations: les jugements de faits et les jugements de valeur. Un jugement de fait décrit la réalité: la Terre tourne autour du Soleil, l'Alaska est le plus étendu des États américains, etc. Un jugement de valeur, en revanche, évalue ou prescrit une action: il est mal de mentir, il faut sauver la planète, etc. Expliquer par un fait et justifier par une valeur sont deux choses différentes. Or, un raisonnement moral cherche une justification: il doit toujours se conclure par un jugement de valeur. C'est pourquoi l'argument dont on parle devrait avoir la forme suivante.

Prémisse 1 – Il est naturel de manger de la viande (Fait.)

Conclusion – Donc, il est bien de manger de la viande. (Valeur.)

Ce serait là déduire un jugement de valeur à partir d'un jugement de fait. C'est précisément ce que les philosophes nomment un *sophisme naturaliste*, c'est-à-dire un argument trompeur. La logique nous interdit de le faire. En effet, ce n'est pas parce qu'une chose est qu'il est bien qu'elle soit. Par exemple, on ne peut pas déduire du fait que l'esclavage existe ou a existé qu'il est bien que l'esclavage existe. Pour devenir correct, le raisonnement de Sarah devrait donc intégrer dans ses prémisses un jugement de valeur. Elle devrait dire, par exemple :

Prémisse 1 – Il est naturel de manger de la viande. (Fait.)

Prémisse 2 – Or, tout ce qui est naturel est bien. (Valeur.)

Conclusion – Donc, il est bien de manger de la viande. (Valeur.)

Mais encore faudrait-il que l'on accepte que « tout ce qui est naturel est bien ». Toutefois, la chose ne va vraiment pas de soi : la peste et le choléra, les tsunamis ou l'égoïsme sont aussi naturels. Sarah ne peut rien contre la logique et elle doit renoncer à nous convaincre en invoquant des faits.

D'ailleurs, au premier siècle de notre ère, le philosophe Plutarque ironisait sur l'argument de la nature humaine : « Si tu te veux obstiner à soutenir que nature l'a fait l'homme pour manger telle viande, tout premier tue-la donc toi-même [...] sans user de couperet [...] tue-moi un bœuf à force de le mordre à belles dents, ou de la bouche un sanglier[138]. » Un conseil qui semble avoir été (à moitié) entendu par le fondateur de Facebook, Mark Zuckerberg, puisque celui-ci ne mangerait que les animaux qu'il a tués lui-même[139]. Et si cela n'évite pas le sophisme naturaliste, c'est au moins une manière de regarder la nature en face, là où l'élevage et l'abattage industriel se sont construits derrière des portes closes et des murs insonorisés.

Certes, si l'homme ne pouvait pas faire autrement, s'il devait nécessairement manger de la viande pour survivre, il en irait peut-être différemment. Mais force est de constater que nous ne sommes plus aux temps préhistoriques et qu'une diète végétarienne et même végane est tout à fait possible. En Inde, 40 % de la population est végétarienne[140] – plusieurs villes saintes de l'hindouisme et du jaïnisme le sont même à 100 %. Et dans le monde du sport, de nombreux athlètes hautement performants, comme l'ultramarathonien Scott Jurek, sont végans. Au coin des lèvres de Sarah, le sourire s'est crispé en une moue dubitative.

QUATRIÈME RAISON :
C'EST DANS NOTRE CULTURE

Mais Sarah a plusieurs cordes à son arc. Sur le mur du salon, une photo la montre d'ailleurs fusil de chasse en bandoulière, cheveux détachés au vent et trophée sanguinolent d'orignal sur la motoneige. Sarah relève la tête, ajuste sa coiffure d'un geste de la main et se lance alors dans un plaidoyer passionné. « On ne mange pas seulement pour survivre. La cuisine fait partie de notre culture ; elle touche à notre identité. Si je mange de la viande, c'est parce que mon père avant moi et mon grand-père avant lui en faisaient autant. En devenant végétarienne, j'aurais le sentiment de briser un héritage, une tradition plus grande que moi. C'est même le cœur de mes convictions politiques : nous avons le devoir de conserver ce que nos ancêtres ont construit. Il faut respecter sa culture et ses racines. Moi, ma culture, c'est celle du barbecue et mes racines sont carnivores. »

Aucun doute cette fois-ci : la justification se fait clairement en termes de valeurs. Et comme ces valeurs sont conservatrices, on pourrait qualifier l'argument de conservateur. S'il est troublant pour le végétarien, c'est parce qu'il contient une part de vérité : désirer conserver une tradition identitaire et culinaire peut être légitime. Par exemple, il serait peut-être dommage que certaines recettes se perdent, car se perdrait alors un certain type de savoir et d'expérience. On pourrait penser que le goût du bœuf bourguignon ou du poulet tandoori a une valeur qui dépasse le simple plaisir gustatif de ceux qui les consomment. Certains arguments en faveur de la chasse à courre ou de la corrida sont du même genre. Et il faut bien leur reconnaître un certain poids.

Mais lorsqu'on se demande ce qu'on devrait faire (face à un dilemme, par exemple), l'essentiel n'est pas d'avoir une raison. C'est de déterminer si celle-ci est concluante en évaluant son poids relatif. Or, le fait qu'une pratique soit traditionnelle ne l'exempte pas d'un examen moral. Car toutes les habitudes ou les coutumes ne méritent pas d'être conservées. Imaginons un esclavagiste américain du XIXᵉ siècle. Ne pourrait-il pas, lui aussi, affirmer avec raison que posséder des esclaves fait partie de son identité de sudiste, que son père et son grand-père avant lui en possédaient? Ne se souvient-il pas avec nostalgie du marché aux esclaves de son enfance? Sans doute. Mais l'argument ne ferait pas le poids devant le droit des esclaves à disposer de leurs vies comme des hommes libres. De même, on ne peut regretter la coutume des duels en Angleterre ou des pieds bandés en Chine. D'un point de vue moral, il est toujours justifié de mettre fin à une tradition inacceptable. Et cela, même un conservateur peut le comprendre.

Il faut donc se demander si la tradition « carnivore » mérite de survivre. Cette tradition, on l'a vu, est largement tributaire d'une conception anthropocentrique qui voit d'abord les animaux comme des réserves de calories. Mais c'est aussi ce que le philosophe Peter Singer nomme une tradition *spéciste*[141]. Que faut-il entendre par là? De façon analogue au racisme ou au sexisme, le spécisme consiste en un parti pris en faveur des intérêts humains et en défaveur de ceux des autres espèces. Et les antispécistes comme

Je mange avec ma tête

Singer pensent justement que la culture carnivore ne mérite pas plus d'être conservée que le racisme ou le sexisme.

Bref, l'argument conservateur pris en tant que tel est insuffisant. Il peut exister de bonnes raisons de rompre certaines habitudes culinaires – et, plus généralement, nos habitudes d'exploitation des animaux. On pourrait aussi envisager l'argument en changeant de perspective – en changeant notre fusil d'épaule. En effet, pourquoi ne pas voir le *progrès moral* comme l'une des nobles traditions humaines ? Imaginons que l'on représente l'ensemble de nos préoccupations éthiques par un cercle, le cercle de la moralité. Ainsi, pour un Grec de l'Antiquité, seuls les mâles, citoyens, adultes et non esclaves étaient inclus dans le cercle. Les autres (femmes, étrangers, etc.) ne comptaient pas.

Or, l'histoire morale de l'humanité peut être vue comme une expansion constante de ce cercle (avec aussi, hélas, des contractions douloureuses). Depuis les luttes contre l'esclavagisme, le racisme, le sexisme et les inégalités sociales en général, et jusqu'à celles contre l'exclusion des handicapés ou des minorités sexuelles, il ne fait pas de doute que les choses s'améliorent. Étendre le cercle de la moralité : c'est aussi dans notre culture ! Dès lors, pourquoi la « tradition » du barbecue devrait-elle prévaloir sur celle de la protection des plus faibles ? Enfin, il ne faut pas oublier que les cultures évoluent : qui sait si nos descendants ne considéreront pas un jour notre rapport aux animaux comme l'exemple même d'une coutume barbare ?

Cinquième raison : les végétariens sont des hipsters (ou des granos)

C'est alors que Sarah pourrait s'énerver (notre Sarah imaginaire, pas la vraie, qui est certainement une hôtesse attentionnée et courtoise). Car, enfin, on ne lui fera pas avaler qu'elle devrait devenir végétarienne. Pourquoi ? Parce qu'elle ne veut pas ressembler à ça ! Les végétariens, ce sont les actrices hystériques et névrosées d'Hollywood qui parlent d'éthique animale sans avoir jamais visité une ferme et qui seraient bien incapables d'aider une vache à vêler. Les végétariens, ce sont les membres de l'intelligentsia new-yorkaise (ou les hipsters du Mile End) qui confondent sensibilité et sensiblerie et qui ont perdu leur gros bon sens à force de consommer de l'art contemporain et du café équitable. Les végétariens, ce sont les étudiantes en *gender studies* tatouées de la tête aux pieds qui se nourrissent de graines et de tofu avant d'aller à leur cours de yoga. Eh bien, tout ça, Sarah, elle n'en veut pas. Ni pour elle, ni pour ses enfants. Vraiment, ce ne sont pas des modèles de personnes admirables.

Mais lorsque notre Sarah imaginaire s'énerve, elle perd le fil du raisonnement. Car si la question concerne les mérites du végétarisme, elle ne porte pas sur ceux des végétariens. Il s'agit là d'un argument *ad hominem*, c'est-à-dire un argument qui vise des personnes. Non pas l'idée, mais celui qui la défend. Non pas le contenu, mais le contenant. Or, quand bien même on peut avoir de bonnes raisons de s'emporter contre une personne, cela ne peut atteindre le ciel des idées et des valeurs. Bref, un argument *ad hominem* est toujours un argument faible.

Il est d'ailleurs facile de voir que rien n'interdit à un magnat de la finance, à une «beauté désespérée» ou à un joueur de hockey d'être végétarien. Il n'y a pas non plus de contradiction conceptuelle dans le fait d'être végan et de droite tout en étant allergique au tofu ! Évidemment, les clichés et les stéréotypes sont parfois vrais : c'est qu'il existe bien sûr des effets de mode ou des déterminations sociales et psychologiques. Les gens ne deviennent pas végétariens par hasard. Fréquenter d'autres végés, par exemple, ou avoir une forte disposition à l'empathie sont certainement des facteurs importants. Suivre des cours de yoga ou d'éthique pourrait bien l'être aussi. Mais les gens comme Sarah Palin n'échappent pas non plus aux effets de mode ni aux déterminations sociales et psychologiques.

Il reste que Sarah ne voit pas les végétariens comme de bons modèles pour ses enfants. Savoir quel type de personne on devrait devenir ou imiter est une question qui hante la philosophie morale depuis Aristote. Elle se pose souvent en termes de vice et de vertu. Peut-on en déceler dans notre débat? Du côté des carnivores, on semble prôner des vertus de chasseur, un modèle de virilité ou de courage qui ne craint pas la violence. Du côté des végétariens, ce serait plutôt des vertus de cueilleurs, un modèle de douceur et de compassion.

Dans sa conception de la vie bonne, Sarah semble attachée au premier modèle. On peut la suivre – ou non. Mais on peut surtout se demander si elle n'exagère pas un peu : retourner un steak sur le barbecue n'est pas un geste qui requiert du courage. Tout au plus, on pourra l'associer à une certaine *image* de la virilité. Gardons-nous toutefois d'inviter Aristote et les vertus au barbecue. Et tant qu'à rester dans l'image, on devra bien reconnaître que les végétariens et les hipsters, à défaut d'être les plus virils, ont souvent l'air plus cool.

Sixième raison : les animaux n'hésiteraient pas à nous manger

Sarah ne s'est jamais vraiment demandé si elle était cool. En tout cas, sur la motoneige, lorsque les gaz sont à pleine puissance, elle se sent profondément vivante sous le soleil polaire – et quand même un peu cool. Pour l'heure, elle a décidé de revenir aux arguments rationnels. Elle entend bien clouer le bec à ses hôtes végétariens décidément coriaces. Elle doit se mettre les idées au clair. Pause salle de bain. En regagnant la salle à manger, elle croise une pile de magazines où trône un vieux numéro du *National Geographic*. En couverture : des crocodiles à la mine patibulaire.

Sarah s'arrête un instant, avale sa salive et rejoint ses hôtes, triomphante. « Mais pourquoi devrait-on se soucier de bêtes qui ne se soucient pas de nous ? Croyez-vous qu'un requin affamé ferait la différence entre un méchant carnivore et un gentil végétarien ? Moi, je crois bien qu'il n'hésiterait pas à nous manger. Alors ? Vous êtes toujours certains de ne pas vouloir goûter à mon chili d'orignal ? »

L'argument ne manque pas d'intérêt. Pourquoi devrions-nous respecter ceux qui ne nous respectent pas ? Peut-on avoir un devoir moral envers ceux qui n'en ont pas envers nous ? L'intuition sous-jacente, c'est l'idée de réciprocité. Et c'est effectivement un fondement moral des sociétés humaines : je suis honnête avec toi parce que je veux que tu en fasses autant avec moi. Je te donne un coup de main pour réparer la motoneige et tu viendras garder les enfants samedi prochain.

Ce qu'on appelle les théories du contrat social insistent beaucoup sur la réciprocité. Pour le philosophe anglais Thomas Hobbes, par exemple, si l'on doit accepter que la police restreigne notre liberté, c'est parce qu'elle nous le rend bien – en améliorant notre sécurité. Les citoyens d'un État seraient ainsi les bénéficiaires d'un vaste réseau de services réciproques qui conduisent au bien de tous. Et c'est pourquoi chacun devrait être heureux de s'engager dans le contrat qui le lie aux autres, c'est-à-dire dans le contrat social.

Il est clair que les animaux ne respectent aucun engagement à notre égard. Ils en seraient bien incapables. Notre contrat social n'est pas le leur. Mais là où le bât blesse pour Sarah, c'est que la réciprocité n'est qu'un fondement de la moralité parmi d'autres. En effet, toutes nos attitudes d'attention, de respect ou de sollicitude ne sont pas dictées par l'attente d'un renvoi d'ascenseur. Nous sommes parfaitement capables de sentiments moraux à sens unique. C'est notamment le cas lorsque nous éprouvons de la compassion envers une personne malade : peu importe ce qu'elle pense de nous ou ce qu'elle fera pour nous. C'est encore plus clair dans notre souci envers les générations futures : les petits-enfants de nos petits-enfants ne pourront pas nous rendre la pareille.

En éthique animale, cette question renvoie à ce qu'on appelle *l'argument des cas marginaux*. En effet, tous les humains ne font pas partie du contrat social au même titre. Tous n'ont pas de devoirs moraux. Qu'on pense, par exemple, aux bébés, aux personnes dans le coma ou aux handicapés mentaux. Ils n'ont aucun devoir envers nous – comment pourrait-il en être autrement ? En revanche, nous avons des devoirs envers eux et la loi les protège. Ce sont de purs *patients moraux**. L'argument des cas marginaux consiste donc à demander pourquoi les animaux ne pourraient-ils pas être, eux aussi, des patients moraux. Et répondre que nous ne leur devons rien justement parce que ce sont des animaux ne semble être qu'une nouvelle manifestation de notre spécisme.

Aujourd'hui, de plus en plus de philosophes pensent même que nous devrions accorder certains droits légaux aux animaux – comme pour les bébés ou les handicapés mentaux. À l'heure actuelle, le statut juridique des animaux ne diffère pas de celui des choses : un cochon n'a guère plus de droits qu'un tire-bouchon.

---

* Contrairement à un agent moral qui est *actif*, un patient moral est, par définition, *passif* : on ne peut lui attribuer la responsabilité morale de ses actes.

Et, comme nous l'avons vu au chapitre 2, bien que de nombreuses législations condamnent la maltraitance des animaux domestiques et que, depuis 2008, l'Espagne se soit engagée sur la voie d'accorder une personnalité juridique aux grands singes[142], la très vaste majorité des animaux ne sont toujours pas reconnus comme des sujets de droits.

Quels seraient ces droits pour les animaux? Évidemment pas celui de voter ou de recevoir une éducation gratuite! Il faut plutôt penser à des droits tels que celui de ne pas passer sa vie en cage, de ne pas être abattu (pour être mangé) ou de ne pas être exploité (pour sa force de travail, pour sa fourrure, pour ses œufs ou pour son lait). Selon Gary Francione, un philosophe et juriste américain, tout cela pourrait se

LES SINGES ONT-ILS LE SENS DE LA JUSTICE?

Les singes capucins ont des préférences. Ils aiment bien le concombre, mais ils adorent les raisins. Lors d'une expérience étonnante[143], deux singes sont «récompensés» par du concombre chaque fois qu'ils donnent un jeton à l'expérimentateur. Mais que se passe-t-il si la récompense devient inéquitable? Comment réagissent-ils si, pour la même tâche, on donne du concombre à l'un et du raisin à l'autre? Le singe lésé devient furieux: il refuse le concombre, envoie balader les jetons et va bouder dans son coin.

Le primatologue Frans de Waal raconte également comment une femelle bonobo peut prendre soin d'un oiseau blessé. Elle le monte même à plusieurs reprises en haut d'un arbre pour l'aider à s'envoler. On est loin de la «loi de la jungle». Et on se demanderait presque s'il n'y a pas des antispécistes chez les bonobos[144]!

Je mange avec ma tête

résumer assez simplement en un droit fondamental : celui de ne pas être une propriété. Et donc, le droit de ne pas être vendu ou acheté. Il nomme son approche *abolitionniste* puisque donner ce droit à tous les êtres sensibles nous forcerait à abolir leur exploitation. Conséquents sur toute la ligne, lui et ses partisans prônent le véganisme*.

Septième raison : les animaux ne sont pas des êtres rationnels

Tandis qu'elle sauce un morceau de pain dans son chili d'orignal, Sarah Palin n'a pas perdu une miette de l'argument des cas marginaux. Et, mine de rien, elle est en train de prendre goût à la philosophie morale. Elle a même préparé une contre-offensive : « OK, mais moi, je préfère donner des droits et de la confiture aux bébés plutôt qu'aux cochons. C'est peut-être du spécisme, mais je l'assume à 110 % : je privilégie les humains. D'ailleurs, l'analogie entre le spécisme et le racisme ou le sexisme ne marche pas ! Tous les êtres humains sont égaux, quels que soient leur race ou leur sexe. Mais je suis désolée : les animaux ne pourront jamais être nos égaux. Pourquoi ? Parce qu'ils ne sont pas rationnels. »

L'argument consiste à montrer que, contrairement au racisme ou au sexisme, le spécisme est moralement légitime. Pour y parvenir, il faut d'abord prouver qu'il existe une distinction entre l'homme et l'animal qui dépasse celle entre deux individus humains – entre un homme et une femme, par exemple. Autrement dit, il faut montrer qu'il existe un « propre de l'homme ». Qu'est-ce qui définit l'humain par opposition aux animaux ? Cette

---

* Au Québec, la jeune philosophe Valéry Giroux est une représentante très convaincante et informée de l'approche abolitionniste. Pour plus d'information sur ce courant en éthique animale, on peut consulter (en français) le site de Gary Francione : http://fr.abolitionistapproach.com

question tiraille l'humanité depuis très longtemps. On a déjà évoqué la réponse monothéiste : l'homme est à l'image de Dieu, les animaux ne le sont pas. Mais à ce stade de la discussion, tous les convives se sont mis d'accord pour renoncer aux arguments d'autorité.

On a proposé beaucoup d'autres réponses : l'homme est capable de rire ou d'avoir des rapports sexuels face à face. C'est aussi un être de langage, pouvant écrire par exemple des livres sur l'alimentation ! L'homme a conscience de lui-même : il peut, à partir d'un certain âge, se reconnaître dans un miroir. Il est aussi capable de construire des outils – des haches en silex ou des motoneiges. On résume parfois cela en disant que l'homme s'est émancipé de la nature pour devenir un être de culture.

Toutes ces différences entre l'homme et l'animal constituent ce qu'on appelle la thèse de l'*exception humaine*[145]. Elle est évidemment en partie vraie (et en partie fausse : voir l'encadré ci-contre). Mais elle dépend surtout du point de vue. Les bactéries, par exemple, sont aussi exceptionnelles à leur manière : ce sont sans doute les êtres vivants les plus anciens, les plus nombreux et les mieux adaptés. Il paraît donc difficile de dire qui des bactéries, des baleines ou des humains sont *les plus* exceptionnels. En tout cas, l'anthropocentrisme et le spécisme montrent assurément le bout du nez dès qu'on pose l'exception humaine en termes de hiérarchie : l'homme en haut et les animaux en bas.

À la question du propre de l'homme, Sarah a donné une réponse classique qui n'aurait pas déplu à René Descartes : l'homme est un être rationnel. Il est capable de comprendre des dilemmes moraux et il peut battre au scrabble n'importe quel orang-outang. Voilà pourquoi le spécisme serait légitime.

On remarquera que l'exemple des cas marginaux peut être utilisé à nouveau : certains animaux pourraient bien être plus rationnels que des personnes

Je mange avec ma tête

mentalement handicapées ou de très jeunes enfants. Mais il reste surtout que le gros problème avec le critère de la rationalité, c'est qu'il semble moralement arbitraire. Pourquoi le fait d'être rationnel devrait-il impliquer davantage d'attention morale? Les différences de QI ne justifieront jamais que l'on traite les génies mieux que les simples d'esprit. De façon générale, prendre un critère qui distingue l'homme de l'animal pour lui donner une valeur morale justifiant le spécisme, sans autre explication, c'est être à la fois juge et partie.

EXISTE-T-IL UN PROPRE DE L'HOMME?

Les découvertes récentes tendent à relativiser la thèse du propre de l'homme. Les différences entre animaux humains et non humains seraient moins des différences de nature (comme entre un parapluie et une machine à coudre) que des différences de degré (comme entre un petit parapluie et un grand parapluie). Par exemple, les chimpanzés, les éléphants ou les dauphins peuvent avoir conscience d'eux-mêmes. Comment le savoir? Une expérience consiste à marquer l'animal d'une tache de peinture à son insu avant de lui présenter un miroir. Si l'animal se touche le front en voyant son image, c'est qu'il comprend que c'est *son* image et qu'il veut s'essuyer.

De façon générale, plus on connaît les animaux, leur vie sociale, leur cognition, plus on est frappé par la richesse et l'unité du vivant. Certains animaux utilisent des outils: des chimpanzés cassent des noix à l'aide de pierres préalablement sélectionnées, des corbeaux se servent de brindilles pour «pêcher» des fourmis. Les pieuvres dévissent le couvercle d'un bocal pour accéder à de la nourriture. Alex, un célèbre perroquet, pouvait comprendre plus de 80 mots et les utiliser dans de courtes phrases. Les chimpanzés peuvent apprendre le langage des signes. Quant aux baleines, elles partagent des types de chant qui varient selon les groupes – l'équivalent de dialectes.

De nos jours, c'est l'idée même qu'il n'existerait pas de cultures animales qui est sérieusement contestée. On a longtemps accordé à l'homme le privilège d'une double transmission : *par hérédité*, c'est-à-dire le bagage génétique, ou *naturel*, que les parents transmettent aux enfants, mais aussi *par héritage*, c'est-à-dire le bagage *culturel* que les sociétés transmettent aux individus et qui a l'avantage de permettre le progrès puisqu'il est cumulatif (chaque enfant n'a pas besoin de réinventer la roue ou l'alphabet). On s'aperçoit aujourd'hui qu'il y a aussi de la transmission culturelle dans certains groupes animaux. Ainsi, des chercheurs japonais ont pu observer une jeune femelle macaque avoir un comportement inhabituel : elle lavait des patates douces avant de les manger – elle n'aimait pas trop leur goût de terre ! La surprise vint lorsque ces mêmes chercheurs virent ce comportement se répandre, d'abord chez les proches de la jeune macaque, puis à la colonie tout entière et aux nouvelles générations. Bref, une technique était née dans cette colonie, la distinguant ainsi culturellement des autres colonies de macaques du Japon. Comme quoi Sarah devrait peut-être lire plus souvent le *National Geographic*…

Dans tous les cas, il paraît difficile d'éviter d'être biaisé, c'est-à-dire d'avoir une perspective qui ne soit pas déformée par nos intérêts humains. Pourquoi le fait de se reconnaître dans un miroir aurait-il plus de

Je mange avec ma tête

valeur que celui de reconnaître son odeur dans les bois? Pourquoi l'habileté à fabriquer un outil mériterait-elle plus de considération morale que celle à construire un nid ou une fourmilière? On ne voit pas quelle raison morale pourrait justifier le spécisme. D'ailleurs, non seulement le spécisme est arbitraire, mais il est aussi incohérent: nous prenons soin des chats et des chiens, mais nous mangeons des cochons et des lapins.

Huitième raison: la viande, c'est bon!

Le repas touche à sa fin. Tout le monde a la panse pleine et la mine repue. Dehors, le vent s'est levé. Quelques flocons de neige hésitent devant les fenêtres de la salle à manger. Songeuse, notre Sarah imaginaire se verse un autre verre de malbec. Et puis, après un instant d'hésitation: «Tous ces discours sont bien jolis, mais avouez quand même: la viande, c'est bon, non?»

Oui, la viande, c'est bon. (La salade n'était pas mal non plus.) N'est-ce pas la meilleure raison de ne pas être végétarien? En tout cas, c'est assurément ce qui a motivé Sarah à cuisiner son chili d'orignal. Mais peut-on y voir une raison morale? Tout dépend de la manière dont on l'interprète.

Une première interprétation revient à dire quelque chose du genre: j'aime manger de la viande, cela me procure du plaisir et j'ai raison de rechercher le plaisir. C'est l'interprétation égoïste: seuls comptent *mon* plaisir, *mon* intérêt, *mes* préférences. L'égoïsme explique une grande partie de nos comportements (mais pas tous, loin de là). En revanche, l'égoïsme ne peut rien justifier d'un point de vue moral. En effet, si la moralité consistait uniquement à agir en vue de son plaisir, alors le meurtre, le viol ou le vol seraient moralement corrects pour autant qu'ils me plaisent. Autrement dit, ce n'est pas parce que nous sommes parfois égoïstes que nous avons des raisons morales de l'être.

Si on le compare à l'image du cercle de la moralité vue plus haut, l'égoïsme serait plutôt un point unique, un cercle réduit à son minimum : une seule personne. Mais la moralité consiste au contraire à sortir de son point de vue égoïste et partial pour trouver des raisons d'agir universelles et impartiales. Pour devenir une véritable raison morale, l'argument du plaisir doit donc être considéré en un sens non égoïste. Qu'en penserait un spectateur idéal, impartial et juste, un spectateur aux yeux bandés – comme la justice –, aveugle à ses propres intérêts ?

En philosophie morale, l'école de pensée utilitariste est bien connue pour avoir réfléchi au plaisir en un sens non égoïste. Pour le penseur britannique du XIXe siècle Jeremy Bentham, par exemple, une action est bonne si et seulement si elle produit « le plus grand plaisir pour le plus grand nombre ». Il est donc moralement correct (et même recommandé !) de rechercher le plaisir. Et le plaisir gustatif (« La viande, c'est bon ! ») pourrait bien en valoir d'autres. Mais cette recherche doit aussi être impartiale. Elle doit être approuvée par le spectateur idéal. Bentham ajoutait d'ailleurs que dans cette recherche « chacun compte pour un et personne ne compte pour plus d'un[146] ».

La méthode utilitariste s'apparente donc à une sorte de calcul où l'on évalue les conséquences d'une action (on dit parfois que c'est une théorie *conséquentialiste*) en termes de plaisir et de peine. Entre deux actions, la meilleure sera celle qui maximise les plaisirs et minimise les peines « pour le plus grand nombre ». Mais qui prendre en compte dans ce calcul ?

La réponse de Bentham est très simple : tous ceux qui sont capables de ressentir des plaisirs et des peines. Cela inclut évidemment la majorité du règne animal (voir le chapitre 4). Bentham avait donc une réponse

Je mange avec ma tête

claire à l'argument précédent, celui de l'irrationalité des animaux :

> Un cheval ou un chien adulte est un animal incomparablement plus rationnel, et aussi plus causant, qu'un enfant d'un jour ou d'une semaine, ou même d'un mois. Mais s'ils ne l'étaient pas, qu'est-ce que cela changerait ? La question n'est pas « Peuvent-ils raisonner ? » ni « Peuvent-ils parler ? », mais : « Peuvent-ils souffrir[147] ? »

Le gros avantage du critère de la souffrance sur celui de la rationalité, c'est qu'il n'est ni arbitraire ni partial. En effet, il s'accorde avec une intuition fondamentale qu'on appelle la *règle d'or de la moralité* : ne pas faire aux autres ce qu'on ne voudrait pas qu'ils nous fassent. En suivant le principe utilitariste, Bentham et ses disciples ont tiré des conclusions très progressistes et radicales pour leur époque : il était important de lutter non seulement contre la souffrance des animaux, mais aussi pour les droits des esclaves, des femmes ou des homosexuels.

Mais revenons à nos moutons. Qu'est-ce que cela donne lorsqu'on applique ce principe au plaisir gustatif d'un burger ou d'un chili à l'orignal ? Évidemment, l'utilitariste ne traitera pas chaque individu de la même manière. Le même coup de pied ne produit pas la même « quantité » de souffrance chez un mouton, chez un enfant ou chez un adepte de boxe française. Il faut aussi tenir compte d'une autre difficulté : la quantité de souffrance n'est pas simple à mesurer. On doit souvent s'en tenir à des approximations. Pourtant, cela n'empêche pas toute évaluation. Comparons, par exemple, deux options : une où l'on mange de la viande (1) et l'autre où l'on n'en mange pas (2). Schématiquement, on aura quelque chose du genre :

Option	Plaisirs	Peines
1. Manger un burger de bœuf	Plaisir gustatif donné par un burger de bœuf	Souffrance d'un bœuf d'élevage divisée par le nombre de burgers que sa chair produit
2. Manger un végéburger	Plaisir gustatif donné par un végéburger	Aucune

Dans la première option, la balance du spectateur idéal doit évaluer le plaisir gustatif à manger un burger *et* la quantité de peine nécessaire à sa production. Or, même s'il est difficile d'attribuer des valeurs précises dans le tableau ci-dessus, on voit mal comment le bilan pourrait être positif : comment quelques agréables bouchées pourraient-elles compenser une vie animale misérable ? Mais ce n'est pas tout. La balance du spectateur idéal doit aussi comparer les options 1 et 2*. Dans ce cas, il ne fait pas de doute que manger un végéburger est préférable puisque aucune souffrance n'entre dans la recette. C'est pourquoi, le plaisir du consommateur ne justifiant pas la souffrance de l'animal, pour l'utilitariste, cette souffrance est inutile.

---

* C'est ce que les économistes appellent parfois le « coût d'opportunité » : en choisissant de manger un burger, on renonce à une autre option qui, elle aussi, pourrait apporter un plaisir gustatif (dans notre exemple, c'est un végéburger, mais toute option végétarienne serait évidemment envisageable).

Je mange avec ma tête

Vocabulaire en éthique animale

Spécisme
Discrimination morale en faveur de sa propre espèce (par analogie avec le racisme).

Abolitionnisme
Mouvement qui milite pour une abolition de l'exploitation des animaux sous toutes ses formes (cheval de trait, par exemple). Pour ses partisans, comme Gary Francione, on doit respecter le droit des animaux à ne pas être des propriétés.

Welfarisme
Mouvement qui milite pour l'amélioration du bien-être animal. Pour ses partisans, comme Peter Singer, on doit lutter contre la souffrance inutile des êtres sensibles.

Utilitarisme
Théorie morale selon laquelle on doit agir en recherchant le plus grand plaisir du plus grand nombre d'êtres sensibles (humains et non humains).

Aujourd'hui, les idées utilitaristes sont reprises en éthique animale par l'approche dite *welfariste*, dont Peter Singer est le plus célèbre représentant. Selon cette approche, il s'agit avant tout d'améliorer le bien-être (*welfare* en anglais) des animaux, de tenir compte de leurs intérêts, sans forcément abolir toute exploitation. En effet, il demeure concevable de sacrifier certains animaux – notamment pour la recherche médicale – si cela permet au bout du compte de soulager de grandes souffrances. Ce sera alors une souffrance utile et bénéfique. Reste que des changements radicaux s'imposent dans notre rapport aux animaux «sensibles», comme le rappelle Singer dans *L'Égalité animale expliquée aux humains*:

Même si nous ne devions cesser de faire souffrir les animaux que dans les cas où il est tout à fait certain que les intérêts des êtres humains n'en seront pas affectés dans une mesure comparable à celle où sont affectés les intérêts des animaux, nous serions obligés d'apporter des changements radicaux dans la façon dont nous les traitons – lesquels changements concerneraient notre régime alimentaire, les méthodes employées en agriculture, les procédures expérimentales utilisées dans de nombreux domaines scientifiques, notre attitude envers la faune sauvage et la chasse, le piégeage des animaux et le port de la fourrure, ainsi que des domaines récréatifs comme les cirques, les rodéos et les zoos. Et ainsi serait évitée une quantité énorme de souffrance[148].

Neuvième raison : les animaux chassés ne souffrent (presque) pas

Sarah plisse le front. Elle n'a jamais trop aimé les calculs, et la souffrance de son orignal lui paraît bien abstraite. Tout en remplissant son verre de malbec, elle se lance à nouveau : « Je veux bien. Je veux bien que la vie des animaux en élevage intensif soit une longue souffrance – et pas mal inutile. Je veux bien que les usines à viande ne soient pas ce que l'humanité a produit de mieux. Mais que dites-vous de la chasse ? Si la balle est bien placée, la bête meurt sur le coup. Elle n'a pas le temps de souffrir. C'est pareil avec un élevage bio ou *humane* : des poules ou des cochons en liberté, pourquoi ne pourrait-on pas les manger ? Sinon, faudrait-il empêcher les lions de manger les gazelles ? »

Décidément, Sarah est perspicace. Que devrait penser un welfariste de sa position ? Il lui donnerait certainement raison sur un point : il est incomparablement pire de manger de la viande provenant d'un élevage industriel que de la chasse ou d'un élevage bio. Comme il y a des degrés dans la souffrance, il y en a aussi dans ce qu'il est mal de faire. De même, il est moins pire de manger de la viande une fois par semaine qu'une fois par jour; mais il serait encore mieux de n'en manger qu'une fois par mois. Pour une raison analogue, Sarah devrait remplacer, lorsque c'est possible, ses entrecôtes de bœuf au barbecue par un steak de caribou (chassé). Mais, mieux encore, elle pourrait lui préférer un *dahl* indien aux lentilles.

Il faut aussi noter que la chasse ne signifie pas toujours une mise à mort immédiate: avoir du plomb dans l'aile ou le flanc implique alors une souffrance longue et totalement inutile. On estime par exemple que 10 % des renards tirés s'échappent pour mourir à petit feu[149]. Mais laissons cela. Imaginons plutôt qu'on euthanasie dans son sommeil un cochon dont la vie en liberté fut une bonne vie de cochon. Il n'a pas souffert et il est maintenant au congélateur, prêt à régaler tous les habitants du village. Que disent les calculettes morales?

Peut-être Bentham n'aurait-il rien trouvé à y redire, mais les utilitaristes modernes sont plus circonspects. En effet, ils considèrent que ce qu'il faut maximiser, ce n'est pas le plaisir mais la satisfaction des préférences ou des intérêts (des animaux et des humains). Or, en euthanasiant le cochon dans son sommeil, on ne va manifestement pas dans le sens de son intérêt. Disons que s'il pouvait parler, le cochon dirait peut-être quelque chose du genre: « Je préférerais ne pas être euthanasié cette nuit, il y a une truie qui m'excite beaucoup et, demain, j'aimerais mieux être en sa compagnie qu'au réfrigérateur. » Et ce n'est pas parce que le cochon est incapable de s'exprimer ni même d'être conscient de ses intérêts qu'il n'en a pas.

C'est pourquoi, même si la mise à mort est sans souffrance, il faudra convaincre l'utilitariste que l'intérêt des villageois surpasse celui du cochon. Cela peut bien évidemment être le cas – surtout si les villageois n'ont rien d'autre à se mettre sous la dent. Mais l'ennuyeux avec cet argument, c'est qu'il est souvent utilisé de travers. Tout se passe comme si la conclusion utilitariste « il n'est pas nécessairement mal de manger un animal qui n'a pas souffert » glissait vers « il est moralement correct de manger de la viande ». C'est un peu comme si la simple possibilité de manger de la viande *humane* nous autorisait à consommer de la viande d'élevage industriel. On focalise l'attention sur une exception pour en tirer une conclusion qui balaye complètement les raisons de cette exception.

Pour lutter contre cette tendance de la psychologie humaine, des philosophes ont inventé une stratégie : l'utilitarisme de la règle. L'idée consiste à suivre une règle pratique et générale. Cela évite que nos décisions de tous les jours soient perturbées par la possibilité d'éventuelles exceptions. Et dans le cas de la souffrance animale, la règle pourrait tout simplement être de ne pas consommer de produits d'origine animale. Cela évite aussi de perdre son temps à chercher sur les étals du boucher un cochon qui aurait *vraiment* été euthanasié dans son sommeil : ça n'existe pas !

Enfin, n'oublions pas que la réplique de Sarah ne s'adresse qu'aux welfaristes. Pour sa part, un abolitionniste n'ira pas chercher midi à quatorze heures. Car si les animaux ont des droits, l'argument n'est de toute façon pas recevable. L'orignal a le droit de ne pas être tué et le cochon, celui de ne pas être exploité (comme n'importe quel humain). Les abolitionnistes remarquent d'ailleurs qu'on trouverait inacceptable de manger un steak de viande humaine, même si la souffrance de l'humain sacrifié était largement compensée par le plaisir de villageois cannibales. Et c'est aussi pourquoi, dans le tableau précédent, quand bien même le bilan du burger l'emporterait sur celui du végéburger, consommer de la viande resterait du spécisme puisqu'on refuserait de soumettre le burger d'humain à un calcul comparable.

Dixième raison : c'est la fin des espèces domestiquées

La neige a cessé de neiger. Sarah se lève pour tisonner les braises qui faiblissent dans la cheminée. Nous ne voyons que son dos, mais sa voix, à peine voilée par le crépitement du feu, semble résignée :

— Admettons que vous ayez raison…

— Merci, Sarah, c'est gentil.

— Attendez… les cochons et les poules qu'on élève, le seul but, c'est de s'en nourrir.

— Effectivement.

— Si tout le monde vous suit, on n'en élèvera plus ! Ils n'auront plus de raison d'être, ils n'existeront plus.

— Oui, Sarah, tu as raison. C'est le but.

— Je pensais que vous vouliez protéger les animaux, pas les anéantir !

— Les anéantir, si tu veux. Mais sans faire de mal. Parce qu'on ne peut pas faire de mal à un être qui n'existe pas.

— Pas sûre de comprendre…

— Les cochons et les poules qui existent déjà, on s'arrangerait simplement pour qu'ils ne se reproduisent pas. Il n'existe pas de devoir moral de produire des cochons et des poules. Au contraire, on devrait plutôt éviter de donner naissance à un être si l'on sait que sa vie sera pénible.

— Mais une vie, même pénible, ça reste une vie. C'est important, la vie.

— Pas à n'importe quel prix, Sarah. Penses-tu que tu as un devoir moral de faire quinze enfants ? Techniquement, ce serait possible…

— Non, je préfère cinq heureux à quinze dont je n'arriverais pas à m'occuper…

— Donc nous sommes d'accord : la vie, mais à certaines conditions. La qualité de la vie est importante. Et une vie dans une usine à viande…

— Hum… Mais plus d'espèces domestiquées, ça me gêne. Ce n'est pas bon pour la biodiversité, ça. La nature est un équilibre, non ?

— Peut-être, mais la nature pourrait très bien se passer des animaux domestiqués. D'ailleurs, ces espèces ne sont pas vraiment « naturelles » puisqu'elles ont été sélectionnées par l'homme. Penses-tu vraiment que fermer les porcheries bouleverserait les écosystèmes ?

— Non, bien sûr. Mais ce n'est pas vraiment ce que je voulais dire en parlant de biodiversité. Est-ce qu'on n'a pas un devoir envers les espèces ?

— Attends, Sarah, si tu y tiens vraiment, tu pourrais toujours créer des réserves protégées pour conserver quelques cochons. Du moment que tu les laisses vivre en paix. Des biologistes pourraient aussi garder de l'ADN s'ils craignent une perte pour la connaissance scientifique. Mais tant qu'à protéger des espèces, tu devrais probablement t'occuper d'abord des espèces sauvages. De toute façon, il n'est pas du tout sûr que nous ayons des devoirs moraux envers les espèces. Ça ne souffre pas, une espèce : c'est une catégorie abstraite. Et puis, tu sais, depuis les débuts de la vie sur terre, beaucoup d'espèces ont disparu, et il va s'en créer d'autres dans l'avenir. Est-ce que la moralité humaine a un rôle à jouer à cette échelle, à ce niveau d'abstraction ? Réduire la souffrance des individus qui existent, humains ou animaux, c'est déjà bien. C'est peut-être suffisant.

— Oui, vous avez sans doute raison. Je déclare forfait. Et puis il est tard. Demain, c'est dimanche, je dois me lever tôt.

Après qu'on l'a aidée à débarrasser la table (« Laissez faire la vaisselle ! »), Sarah nous reconduit à la porte. Et c'est donc sur le seuil de sa maison, éclairée par la lune, qu'elle nous adresse ses ultimes pensées.

— Pour tout dire, je n'y avais jamais vraiment réfléchi, mais je dois l'admettre, vos arguments sont solides. Bravo.

— Oh, mais nous n'y sommes pour rien. Nous t'avons juste resservi quelques arguments de philosophes moraux. C'est à eux que revient tout le mérite.

— Bravo à eux, alors. N'empêche que c'est bien beau, la philosophie, mais je me connais. C'est plus fort que moi. Je ne pourrais jamais devenir végétarienne.

— Ça, Sarah, tu n'en sais rien. Mais c'est bien vrai qu'un argument suffit rarement à motiver une action. C'est comme pour arrêter de fumer, on a beau connaître les raisons de le faire, on n'y arrive pas automatiquement.

— Oui, ça prend de la volonté pour agir. Nous ne sommes pas de pures machines à raisonner. C'est dans les tripes, pas dans la tête.

— Tu devrais peut-être regarder un documentaire sur l'industrie de la viande*. On te prévient, c'est dégueulasse. Mais le dégoût est une émotion très motivante.

— Je verrai… En tout cas, merci pour la soirée, dit-elle en nous gratifiant d'un *hug* chaleureux.

— Merci de nous avoir reçus, Sarah. Et si tu passes à Montréal, viens souper à la maison.

Au début de notre transition vers le végétarisme, Martin avait coutume de dire qu'il était «pratiquant non croyant»: il suivait volontiers le même régime que moi, mais il se gardait une petite gêne philosophique sur les fondements moraux de la question.

---

*   Par exemple, *Earthlings* («Terriens»).

Mais Martin ne fait rien comme tout le monde – il écoute France Culture et il termine un doctorat en psychologie morale. Pour la plupart d'entre nous, en revanche, lorsqu'on parle d'éthique animale, le plus difficile n'est pas de devenir croyant mais pratiquant. C'est ce que nous avons voulu illustrer avec l'histoire de Sarah Palin. Quiconque reconnaît que les dix arguments présentés dans ce chapitre ne tiennent pas devrait *croire* qu'il a de bonnes raisons morales de devenir végétarien. L'étape suivante – la plus délicate et la plus importante – consiste à accorder ses pratiques à ses croyances.

6

LA FAIM JUSTIFIE-
T-ELLE LES MOYENS ?

Engrais, pesticides, OGM
et autres « amis » des champs

Ils font leur lobbying de leurs suites confortables de
Washington ou de Bruxelles. Mais s'ils ne vivaient qu'un
mois parmi la misère du monde en développement
comme je l'ai fait pendant cinquante ans, ils feraient
n'importe quoi pour avoir des tracteurs, de l'engrais et
des canaux d'irrigation. Ils seraient outrés de savoir que
des élites à la mode essaient de leur refuser ces choses[150].

C'est l'agronome américain Norman Borlaug qui
parle. Discret et peu connu du grand public, l'homme
a reçu le prix Nobel de la paix pour avoir été à l'origine de l'augmentation de la productivité des terres
agricoles en Asie et au Mexique entre les années 1940
et 1970. Ces changements ont permis de sortir de la
famine des populations entières. Certains soutiennent
même que Borlaug pourrait être l'homme qui a sauvé
le plus de vies dans l'histoire de l'humanité[151].

Comment a-t-il réalisé ce « miracle » ? En important
dans les pays en voie de développement les techniques

de production qui commençaient à faire leurs preuves aux États-Unis : céréales à haut rendement, monoculture, utilisation d'engrais chimiques et de pesticides, irrigation et mécanisation. Ces innovations dans l'agriculture intensive ont notamment permis à l'Inde de devenir autosuffisante dans la production de ses céréales[152]. Et le plus impressionnant, c'est que tout cela a été réalisé pratiquement sans déforestation. L'application des techniques de Borlaug a permis à la production mondiale de céréales de tripler entre 1960 et 1990 (outrepassant la croissance de la population), alors que seul 1 % de plus de terres a été utilisé[153].

Aujourd'hui, cependant, les détracteurs de cette « révolution verte » sont nombreux. Ils ne manquent pas de rappeler que l'intensification de la production s'est faite aux dépens de l'environnement. La révolution verte repose en effet sur des énergies fossiles non renouvelables. La production d'engrais chimiques, par exemple, contribue au réchauffement climatique et son épandage, combiné avec l'irrigation, pollue les cours d'eau. L'utilisation des pesticides chimiques s'est elle aussi répandue partout sur la planète. Ces pesticides s'accumulent dans la chaîne alimentaire et menacent la santé des animaux et des humains. Finalement, en s'appuyant sur la monoculture intensive, la révolution verte a appauvri les sols et menace la biodiversité. D'où la question : la faim justifie-t-elle les moyens ?

Avec une population mondiale devant frôler les 9 milliards en 2050[154], plusieurs pensent qu'il faut encore développer la productivité des cultures, notamment grâce aux OGM. C'est 70 à 100 % de plus de nourriture qu'on devra produire pour nourrir ces 2,3 milliards de nouvelles bouches[155]. Pourtant, de nombreux indices laissent croire que la terre ne pourra pas le supporter. Les environnementalistes nous rappellent aussi qu'il serait temps de réduire

Je mange avec ma tête

notre dépendance au pétrole et de nous tourner vers une agriculture biologique à grande échelle. Ces deux visions, diamétralement opposées, s'affrontent depuis des années. D'un côté, la révolution verte, de l'autre, l'agriculture bio. Face à face : les partisans de l'agriculture intensive contre les apôtres d'une production plus écologique et durable.

Le modèle de l'agriculture de proximité avec les marchés fermiers offrant des produits saisonniers semble résoudre la plupart des problèmes de l'agriculture intensive. Il est toutefois encore réservé à un petit nombre de particuliers habitant les pays riches. Je fais partie des privilégiés qui peuvent se permettre de recevoir chaque semaine un panier de légumes biologiques fraîchement cueillis par de sympathiques fermiers. Mais est-ce là un modèle qui pourrait être adopté par mes voisins qui vivent d'un maigre chèque d'aide sociale ? Et que dire des nombreux démunis vivant au Brésil ou en Indonésie ? En d'autres mots, existe-t-il des façons de cultiver la terre qui limitent les répercussions environnementales de l'agriculture tout en permettant de nourrir toute la population humaine ?

DANS LES PETITS POTS LES MEILLEURS ENGRAIS

Il suffit d'avoir eu une plante verte pour le savoir : les végétaux ont besoin d'eau, d'air, de terre et de soleil. Alors que l'eau, l'air et le soleil sont renouvelables, les nutriments contenus dans le sol, quant à eux, finissent par s'épuiser. À l'état naturel, le sol d'une forêt se régénère de lui-même. Les feuilles tombent des arbres, des bactéries décomposent ces feuilles qui vont produire de l'azote assimilable par les plantes ; tout est recyclé. Mais lorsqu'on récolte les cultures, on enlève un élément du système. Les sols s'appauvrissent, les cultures deviennent plus chétives. Voilà un très vieux défi : il date de l'apparition de l'agriculture, il y a 10 000 ans.

Les Égyptiens apprirent à nourrir la terre d'azote grâce aux limons du Nil. Plus tard, on utilisera des poissons, des plantes en décomposition et des excréments humains et animaux. On peut aussi laisser pousser des plantes comme le trèfle qui ont la capacité de capter l'azote naturellement présent dans l'air. En labourant le trèfle, on se retrouve avec un sol riche en azote. Cependant, toutes ces options naturelles ont leurs limites. Abandonner des terres pour faire pousser du trèfle demande d'en déboiser d'autres pour poursuivre les cultures. Quant aux engrais à base de fèces animales, ils dépendent de l'élevage du bétail. Or, on doit produire des céréales pour nourrir ces animaux, ce qui appauvrit d'autant le sol. De plus, cultiver des céréales pour nourrir des animaux qui nourriront les humains, cela reste du gaspillage de céréales (et de sol).

Une solution potentielle à tous ces problèmes est arrivée au XXe siècle : les fertilisants chimiques, découverts par des chimistes allemands. Fritz Haber et Carl Bosch trouvèrent une façon de transformer l'azote en ammoniaque que les plantes pouvaient absorber. Cette découverte leur a d'ailleurs valu à chacun un prix Nobel. L'engrais chimique était né. Et sans lui, la révolution verte n'aurait pas eu lieu.

En plus de l'azote (le symbole N dans le tableau périodique des éléments), l'engrais commercialisé peut aussi contenir du phosphore (P) et du potassium (K) pour former le trio NPK, sigle qui identifie les engrais chimiques selon leur contenu en chaque substance.

DEAD ZONES ET ALGUES BLEUES

Les engrais chimiques ont longtemps été très abordables et les agriculteurs ont pris l'habitude de les utiliser comme une police d'assurance – mieux valait

Je mange avec ma tête

en mettre trop que pas assez et risquer une baisse du rendement. Cependant, il faut savoir que les plantes n'absorbent pas tout ce qu'on répand. Que ce soit de l'engrais chimique ou une grande quantité de lisier de porc, le résultat est le même : lorsque la pluie lessive les champs, elle entraîne avec elle les surplus d'engrais dans les cours d'eau, où ils encouragent la prolifération d'algues – l'engrais fait de l'effet sous l'eau ! Lorsque ces algues meurent, elles sont prises d'assaut par des bactéries, grosses consommatrices d'oxygène : l'eau devient alors invivable pour les animaux aquatiques, qui meurent à leur tour, ce qui amplifie encore le phénomène[156]. On appelle ces espaces hypoxiques (déficitaires en oxygène dissous) des *dead zones* (zones mortes). On trouve plus de quatre cents de ces zones mortes tout autour de la planète, les plus importantes étant dans la mer Baltique et dans le golfe du Mexique.

La crise des algues bleues que nous connaissons depuis quelques années s'explique par un phénomène similaire à celui des zones mortes. Ces algues bleues (cyanobactéries) se multiplient l'été dans les lacs riches en phosphore ; le phénomène est amplifié quand les eaux se réchauffent. Le phosphore provient notamment des engrais utilisés sur les terres agricoles qui ruissellent vers les rivières et se déversent dans les lacs*.

On peut éviter cette situation en réduisant la quantité d'engrais qu'on épand et en préservant des bandes entre les terres agricoles et les cours d'eau. Au Québec, des clubs conseils en agroenvironnement offrent gratuitement des informations aux agriculteurs pour les aider à optimiser leur fertilisation. Il existe aussi des programmes de soutien financier mis en place par le

---

* On trouve aussi le phosphore dans les détersifs. Depuis juillet 2010, les détersifs vendus au Québec doivent contenir moins de 0,5 % de phosphore.

ministère de l'Agriculture (MAPAQ) pour encourager les agriculteurs à se conformer aux réglementations. Malheureusement, il est probable que l'accumulation d'azote et de phosphore dans les cours d'eau soit telle que, aujourd'hui, une toute petite quantité d'engrais déversé a beaucoup plus de conséquences que par le passé – le principe même de la goutte d'eau qui fait déborder le vase.

PESTER CONTRE LES PESTICIDES

Chaque année, c'est la même histoire sur les berges du Saint-Laurent. L'euphorie du printemps retombe pendant quelques jours avec l'arrivée des mannes, ces petits insectes qui sont parfois si nombreux qu'il devient difficile de respirer sans les avaler. Pour éviter ce désagrément aux touristes d'Expo 67, le maire Jean Drapeau proposa une solution radicale. Il fit déverser 45 000 gallons de DDT dans le fleuve pour le nettoyer des insectes dérangeants[157]. On imagine la réaction qu'engendrerait une telle initiative de nos jours, où la simple vue de ces trois lettres donne la chair de poule.

Pourtant, en 1948, Paul Hermann Müller a reçu le prix Nobel de médecine pour sa découverte du DDT. Le DDT (dichlorodiphényltrichloréthane) est un puissant insecticide qui fut utilisé avec beaucoup de succès dans la lutte contre les moustiques qui transmettent le paludisme. Comme insecticide agricole, il a aussi joué un rôle important dans le développement de l'agriculture intensive. La monoculture demande en effet une plus grande utilisation d'insecticides que les cultures conventionnelles : l'absence de diversité dans une plantation fait en sorte que l'invasion d'un seul insecte peut faire perdre toute une récolte.

Il n'aura fallu que quelques années d'épandage massif d'insecticides pour que les premiers doutes

Je mange avec ma tête

sur leurs effets sur l'environnement apparaissent. En 1962, la biologiste américaine Rachel Carson publiait le livre *Silent Spring* (*Printemps silencieux*[158], faisant référence à un monde sans oiseaux). L'ouvrage accusait le DDT d'être cancérigène et d'empêcher la reproduction des oiseaux en amincissant la coquille de leurs œufs. Il faudra toutefois attendre les années 1970, après de longues batailles juridiques entre environnementalistes et industriels, pour que l'utilisation agricole du DDT soit complètement interdite dans la majorité des pays occidentaux.

Bien que la toxicité du DDT pour les organismes aquatiques et les oiseaux ait été largement prouvée, les effets sur l'humain n'ont jamais été démontrés avec certitude. Il semble cependant que l'exposition au DDT soit liée à une augmentation des risques de cancer, de diabète, d'infertilité et à différents problèmes de développement chez l'enfant. Toutefois, le DDT est encore utilisé pour lutter contre le paludisme. L'interdiction de son usage dans les pays en voie de développement ferait plus de mal que de bien. La malaria tue près de 900 000 personnes par année et, jusqu'à maintenant, aucune méthode ne s'est montrée aussi efficace que le DDT pour réduire les risques d'infection[159].

Qui a peur des pesticides?
À la base, un pesticide se définit comme une substance émise dans une culture pour lutter contre des organismes nuisibles. C'est un terme générique qui rassemble les insecticides, les fongicides et les herbicides: des produits qui s'attaquent aux insectes ravageurs, aux champignons, aux bactéries et aux « mauvaises herbes ». Certaines formes de produits antiparasitaires ont fait leur apparition à l'époque de la Grèce antique, où l'on utilisait notamment du soufre et de l'arsenic pour protéger les cultures.

C'est dans les années 1930 qu'on a commencé à employer des pesticides synthétisés, dont l'usage s'est généralisé à partir de 1950. Avant l'arrivée des pesticides de synthèse, les insectes, les organismes nuisibles et les mauvaises herbes étaient quand même contrôlés. On effectuait par exemple la rotation des cultures, on ajustait les dates de plantation et on arrachait mécaniquement les mauvaises herbes : des techniques qui demandent beaucoup de main-d'œuvre et qui sont incompatibles avec les monocultures intensives. L'arrivée des pesticides de synthèse a donc amené un gain d'efficacité important. On estime actuellement que pour chaque dollar investi en pesticides, on en récupère quatre en récoltes sauvées[160].

S'il est généralement accepté qu'une utilisation modérée d'engrais puisse être bénéfique, l'usage des pesticides est en revanche plus controversé. Ceux-ci présentent des risques pour la santé humaine et pour la survie de certaines espèces d'oiseaux et d'insectes. Les pays industrialisés mettent en place des politiques sévères pour en limiter l'utilisation, mais la demande est croissante dans les pays en voie de développement[161].

On sait maintenant que des résidus de pesticides se retrouvent dans les cours d'eau, dans les sédiments, dans l'air, sur des végétaux et dans la nourriture. Les pesticides les plus utilisés ne sont pas sélectifs : ils s'attaquent aussi bien aux vertébrés qu'aux invertébrés et touchent particulièrement les oiseaux. Dans les zones rurales, ceux-ci deviennent moins nombreux et leur déclin est directement associé à l'utilisation de pesticides[162]. Les organophosphorés*, par exemple, affecteraient le nombre d'œufs par couvée et augmenteraient le risque de malformation chez les oisillons[163].

---

* Les organophosphorés sont une famille de pesticides qui comprend entre autres le Roundup de Monsanto. Les organophosphorés ont remplacé les organochlorés comme le DDT.

Je mange avec ma tête

L'effet des pesticides sur les oiseaux ainsi que sur les abeilles est visible et médiatisé. Par contre, leurs conséquences sur la vie des micro-organismes le sont beaucoup moins. L'agronome français Claude Bourguignon et sa femme Lydia Gabucci-Bourguignon expliquent dans de nombreux documentaires, dont *Alerte à Babylone* et *Solutions locales pour un désordre global,* que lorsque des pesticides sont épandus, les insectes et les champignons vivant naturellement dans la terre sont tués. N'étant habités par aucune forme de vie, les sols durcissent, un phénomène qui s'amplifie avec les labours mécaniques. Les agriculteurs entrent alors dans une spirale infernale. Les sols, pratiquement morts, doivent être fertilisés chimiquement pour pouvoir nourrir les plantes : ces sols affaiblis deviennent ensuite un terreau de maladies, ce qui nécessite encore davantage d'insecticides et de fongicides.

Attention, poison

Chez les humains, les pesticides représentent l'une des causes les plus fréquentes d'empoisonnement involontaire et sont aussi associés à des problèmes graves de développement. Bien que les risques ne soient pas tous bien connus, de plus en plus d'études établissent des relations entre l'exposition à de faibles résidus et des effets sérieux sur la santé humaine : cancer, atteintes génétiques, certains troubles de la reproduction et du développement, dégradation des systèmes immunitaire, endocrinien et nerveux, etc[164]. Les enfants seraient particulièrement vulnérables.

On a souvent tendance à l'oublier, ce sont les travailleurs agricoles et leurs familles qui sont les premiers touchés par ces effets. Chaque année, entre 2 et 5 millions de travailleurs à travers le monde sont empoisonnés et 40 000 en meurent[165]. Un rapport du FAO rappelle que « la plupart des intoxications touchent les zones rurales des pays en développement où les mesures de protection sont souvent inadéquates voire totalement absentes. Les pays en développement qui n'utilisent que 25 % des pesticides produits dans le monde enregistrent 99 % des décès dus à ce type d'intoxication[166] ».

C'est probablement au Costa Rica que la situation est la plus grave. L'utilisation de pesticides y est la plus intensive au monde[167]. Ceux-ci sont utilisés dans les cultures destinées à l'exportation : café, bananes et ananas. La situation des travailleurs des plantations de bananes et d'ananas est particulièrement inquiétante. Ce sont souvent des Nicaraguayens, traités et payés bien en deçà des minimums acceptables et qui ne peuvent se mobiliser de peur d'être renvoyés. Les travailleurs des plantations d'ananas, par exemple, perdent leurs ongles après avoir épandu des pesticides sans protection. Mais c'est peut-être le moindre de leurs soucis, puisqu'ils souffrent aussi de problèmes respiratoires et d'asthme, en plus d'avoir des enfants qui naissent avec des malformations quand ils ne souffrent pas d'infertilité[168]. Malheureusement, des histoires semblables se répètent dans le monde entier. Même aux États-Unis, l'Agence de protection de l'environnement estime qu'il survient de 20 000 à 300 000 cas d'intoxication aiguë par an chez les travailleurs agricoles[169]. Difficile d'avoir des chiffres précis, car la majorité des cas ne sont pas déclarés. Et c'est sans parler des nombreux agriculteurs victimes de cancer sans que le lien soit directement établi avec l'exposition aux pesticides. Pourtant, les viticulteurs français, par exemple, présentent un risque deux fois plus élevé d'être atteints d'une tumeur cérébrale que la population en général, et les études épidémiologiques attestent d'un lien entre l'exposition des parents aux pesticides et les tumeurs au cerveau ou leucémies chez les enfants[170].

Il est plus difficile de savoir si les résidus de pesticides présentent un risque pour la santé lorsqu'ils sont consommés. Les autorités publiques canadiennes se veulent rassurantes : dans 80 % des aliments frais cultivés au Canada ou importés chaque année, on n'a détecté aucune trace de pesticides et, parmi ceux qui en contenaient, moins de 1 % excédaient les normes canadiennes. Mais les méthodes utilisées par Santé Canada sont critiquées. Il y avait, en 2003, 190 pesticides, produits ou importés au Canada, pour lesquels on ne disposait pas de méthode pratique de détection[171]. Même le concept de *dose journalière acceptable*, qui est censé désigner la quantité maximale de pesticides que les consommateurs peuvent ingurgiter quotidiennement toute leur vie sans tomber malade, et qui est à la base des « normes » utilisées, est une véritable boîte noire sans réel fondement scientifique, comme l'explique la journaliste Marie-Monique Robin dans *Notre poison quotidien*. On ne connaît pas non plus l'impact à long terme de l'exposition à plusieurs pesticides différents en petites quantités. On sait cependant que les enfants, plus sensibles, sont les premières victimes d'une exposition aux pesticides. À elle seule, l'exposition maternelle prénatale aux insecticides multiplie par 2,7 le risque de leucémie chez l'enfant[172].

LES FRAISES DU QUÉBEC ET LA CONCURRENCE CALIFORNIENNE

Si l'arrivée des fraises nous semble plus hâtive que dans nos souvenirs d'enfance, ce n'est pas que la Saint-Jean a été déplacée ou que l'année scolaire a été étirée. C'est un peu à cause des printemps plus précoces que nous avons depuis quelques années, mais c'est surtout grâce aux innovations technologiques qui permettent de gagner quelques semaines sur la saison normale. Les plus gros producteurs installent des bâches géotextiles sur les champs, ce qui permet d'accélérer le mûrissement et de gagner quelques parts de marché sur les fruits importés. Parce que tout l'enjeu est là : prendre la place des fraises de Californie.

Les petits Québécois ont souhaité avoir des fraises dans leurs céréales à l'année longue et les Californiens sont venus combler ce besoin. Les producteurs québécois parlent cependant de concurrence déloyale. En effet, même en saison, même avec leurs bâches géotextiles et l'avantage de la proximité, ils ne parviennent pas à produire des fraises à aussi faible coût que les Californiens. Pourquoi ? D'abord, parce que en Californie le climat, le sol et la disponibilité de l'eau permettent des rendements à l'hectare cinq fois supérieurs à ceux d'ici. Et bien entendu, parce que la spécialisation en monoculture permet des économies d'échelle. Mais surtout, parce que, au Québec, contrairement à la Californie, le gouvernement interdit l'utilisation du bromure de méthyle.

Comme l'explique *Protégez-vous*, le bromure de méthyle est un pesticide utilisé depuis les années 1930, surtout pour fumiger le sol. Appliqué dans les champs avant de planter les fraises, il stérilise le sol en tuant tout ce qui y vit : rongeurs, champignons, bactéries, insectes, etc. Le bromure figure sur la liste des substances interdites par le protocole de Montréal à cause des risques de destruction de la couche d'ozone[173]. Plusieurs pays, dont le Canada, l'interdisent ; les États-Unis attendent de trouver un substitut avant d'en bannir l'utilisation. Le pire, c'est qu'il ne semble pas y avoir de volonté politique d'interdire l'importation de fraises produites avec du bromure de méthyle. Les commerçants, qui veulent répondre à la demande, disent qu'ils n'ont pas d'autre choix que d'offrir des fraises californiennes.

Quoi mettre dans son panier de fruits?

Nous avons raison de nous inquiéter des effets des pesticides sur notre santé. Mais il ne faudrait quand même pas en faire une maladie. Nous sommes quotidiennement exposés à des milliers de substances chimiques potentiellement dangereuses alors que les bénéfices des fruits et légumes pour la santé dépassent largement les risques associés à la consommation de traces de pesticides.

En mangeant des fruits et des légumes bio, on limite son exposition, mais on peut aussi rincer à l'eau les fruits et légumes conventionnels (éventuellement avec du savon ou du bicarbonate de soude pour enlever la cire). Plusieurs auteurs recommandent toutefois une plus grande précaution pour les femmes enceintes et les jeunes enfants. Ces personnes plus sensibles devraient manger, autant que possible, des fruits et légumes issus de l'agriculture biologique[174].

Tous les fruits et légumes ne sont pas exposés aux pesticides de la même façon. Là, il n'est pas facile d'avoir des données canadiennes. Le programme de surveillance de l'Agence canadienne d'inspection des aliments (ACIA) n'a pas publié de données depuis 2005[175]! On doit donc se tourner vers les données américaines de l'Environmental Working Group (EWG), qui analyse chaque année les données relatives aux résidus de pesticides trouvés sur les 53 fruits et légumes les plus fréquemment consommés[176]. Les fruits et légumes sont classés selon la quantité de pesticides qu'ils contiennent, ceux du début de la liste étant les pires, et ceux de la fin, les plus propres.

Les produits vendus au Canada pourraient avoir des teneurs en pesticides différentes, mais nous importons près de la moitié des fruits et légumes que nous consommons, majoritairement des États-Unis.

1	POMMES	28	BROCOLIS
2	CÉLERIS	29	OIGNONS VERTS (ÉCHALOTES)
3	FRAISES		
4	PÊCHES	30	BANANES
5	ÉPINARDS	31	CANTALOUPS IMPORTÉS
6	NECTARINES IMPORTÉES	32	MELONS MIEL
7	RAISINS IMPORTÉS	33	CHOU-FLEUR
8	POIVRONS	34	TOMATES
9	POMMES DE TERRE	35	PAPAYES
10	BLEUETS	36	CANNEBERGES
11	LAITUE	37	PRUNEAUX
12	CHOU FRISÉ	38	COURGES
13	CORIANDRE	39	CHAMPIGNONS
14	CONCOMBRES	40	PAMPLEMOUSSES
15	RAISINS	41	PATATES DOUCES
16	CERISES	42	MELONS D'EAU
17	POIRES	43	CHOU
18	NECTARINES	44	KIWIS
19	PIMENTS FORTS	45	CANTALOUPS
20	HARICOTS VERTS	46	AUBERGINES
21	CAROTTES	47	MANGUES
22	PRUNES	48	PETITS POIS SURGELÉS
23	BLEUETS IMPORTÉS	49	ASPERGES
24	FRAMBOISES	50	AVOCATS
25	HARICOTS VERTS IMPORTÉS	51	ANANAS
		52	MAÏS
26	COURGETTES	53	OIGNONS
27	ORANGES		

Le palmarès de l'EWG est toutefois basé sur la présence de pesticides dans l'aliment prêt à consommer et non pas sur la quantité de pesticides épandus dans la culture du fruit ou légume. Détail important d'un point de vue écologique ! Par exemple, les ananas, les cantaloups et les pamplemousses se retrouvent en fin de liste parce qu'on n'en mange pas la peau, laquelle

Je mange avec ma tête

est assez épaisse pour empêcher les pesticides d'atteindre la chair du fruit. Or, les principaux pays producteurs de fruits exotiques que sont le Costa Rica, la Colombie et le Chili comptent parmi les plus grands utilisateurs de pesticides de la planète.

UTILISATION DES PESTICIDES AU CANADA ET DANS LES PRINCIPAUX PAYS EXPORTATEURS[177]

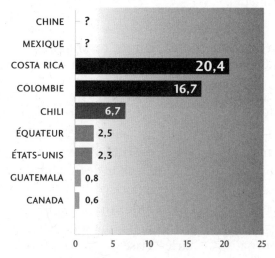

Quantité de pesticides épandus par année en kg/ha

Le Mexique, au deuxième rang des exportateurs de fruits et légumes vers le Canada[178], ainsi que la Chine ne publient pas de données. On sait cependant que le Mexique est un grand utilisateur de pesticides[179] et que la pollution causée par les pesticides en Chine est abondamment documentée[180]. On pourra donc mettre ces deux pays dans la liste des « gros utilisateurs » sans trop risquer de se tromper.

De son côté, le Canada épand très peu de pesticides (0,6 kg/ha annuellement contre 2,3 pour nos voisins du sud). Ici, la saison maraîchère est plus courte et nous cultivons surtout des céréales. Les normes canadiennes d'épandage sont aussi plus sévères qu'aux États-Unis.

Pour ma part, j'essaie de suivre la règle suivante : en dehors de mon panier bio, je cherche à acheter local. Lorsque j'ai envie de fruits et légumes plus exotiques (et donc importés), je m'efforce de m'en tenir au bio. C'est ma façon d'encourager une agriculture respectueuse de l'environnement et des travailleurs.

PESTICIDES 2.0 : GRANDEUR ET MISÈRE DES OGM

La scène est tournée en plan américain. Un homme à la calvitie certaine est vêtu d'une blouse blanche, le stylo bic au garde-à-vous dans la poche de poitrine. Derrière lui, l'écran d'un IBM PC XT montre une étrange spirale verte. Sur le mur, des feuilles de calcul. On est en 1989, dans un reportage de *La Semaine verte* qui s'intitule « Et l'Homme créa la nature[181] ». C'est l'époque des premières manipulations génétiques, et le journaliste, Charles Tisseyre, fait le point sur les dernières découvertes à l'aide de puissantes animations « par ordinateur ».

Pour montrer ce que peut accomplir concrètement la recherche génétique, on aborde le cas du canola. C'est l'une des principales plantes cultivées au Canada, exploitée pour son huile. Elle est très sensible aux insectes et, comme l'explique le journaliste, des généticiens pensent qu'un insecticide largement utilisé comme le *Bacillus thuringiensis* (*Bt*) pourrait être fabriqué par la plante elle-même. C'est là que l'homme à la blouse blanche, Roland Brousseau, intervient. Brousseau est chef du groupe synthèse ADN à l'Institut de recherche en biotechnologie de Montréal.

Je mange avec ma tête

Il décrit le processus : « Il faut prendre le gène du bacille thuringiens [...] et l'insérer dans le matériel génétique des plantes. » Il montre avec enthousiasme quelques tableaux sur les sources de ce gène, puis exprime ses craintes sur les limites d'une telle manipulation : « Il faudra étudier de près les possibilités d'apparition de résistance de l'insecte. [...] Il faudra aussi s'assurer que le produit comestible de ces plantes transgéniques n'offre pas de propriétés imprévues au niveau toxicité, que ce soit pour l'homme ou l'animal. » Plus de vingt ans plus tard, l'IBM XT de l'homme à la blouse de laboratoire a sans doute été recyclé depuis longtemps. Mais les organismes génétiquement modifiés (les fameux OGM), eux, ne sont plus de la science-fiction. Ils sont aujourd'hui largement utilisés en agriculture.

Qu'est-ce qu'un OGM ?

Un organisme génétiquement modifié, ou OGM, est un organisme (animal, végétal, bactérie) dont on a modifié le matériel génétique pour lui conférer une caractéristique ou une propriété nouvelle. Les trente dernières années ont vu se développer des techniques modernes de « génie génétique », consistant à introduire un ou plusieurs gènes dans le patrimoine génétique d'un organisme. Ces techniques permettent de transférer des gènes sélectionnés d'un organisme à un autre, y compris entre des espèces différentes. Elles offrent ainsi la possibilité d'introduire dans un organisme un caractère nouveau dès lors que le ou les gènes correspondants sont identifiés[182].

Les craintes de l'homme en blanc ont-elles été levées ? Et les OGM ont-ils tenu leur promesse de sauver les récoltes des pattes des insectes nuisibles ?

Prêt pour le Roundup ?

Depuis trente ans, le Roundup de Monsanto est l'herbicide le plus vendu au monde. C'est un produit non sélectif : il tue tous les végétaux sur lesquels il est appliqué. Le glyphosate, son agent actif, empêche la biosynthèse d'un acide aminé indispensable au développement de la plante – c'est comme si toute la charpente de celle-ci était disloquée.

Mais s'il est tant prisé, c'est aussi parce qu'on peut le combiner avec des semences bien particulières. En effet, depuis le milieu des années 1990, Monsanto commercialise des semences Roundup Ready : celles-ci ont été modifiées génétiquement (ce sont donc des OGM) afin d'être résistantes au Roundup. On comprend bien l'intérêt de la combinaison : on épand partout de l'herbicide et seule les « bonnes » plantes lui résistent. C'est donc un désherbage sélectif et « sans les mains ». Ces semences sont rapidement devenues populaires chez les agriculteurs. Au Canada, c'est la majorité des cultures de soya, de maïs et de canola qui sont résistantes au Roundup ou à un équivalent générique[183].

Quant au *Bacillus thuringiensis* (*Bt*), l'insecticide naturel dont parlait l'homme en blouse blanche, il est aussi entré dans le quotidien de nombreuses exploitations. Pour le coton et le maïs, par exemple, en utilisant des semences génétiquement modifiées contenant le gène du *Bt*, on est passé de sept ou huit épandages par saison à seulement un ou deux, soit une réduction de 80 %[184].

La question des OGM dans les champs est donc intimement liée à la lutte aux mauvaises herbes et aux insectes nuisibles[185]. Plusieurs pensent même qu'une utilisation judicieuse de la technologie *Bt* pourrait offrir une agriculture sans additif chimique. L'ancien vice-président exécutif du World Wildlife Fund David Sandalow abonde dans ce sens : les modifications génétiques présenteraient des bénéfices importants, tant sur le plan de la productivité des terres arables que sur celui de la réduction de l'usage des pesticides[186].

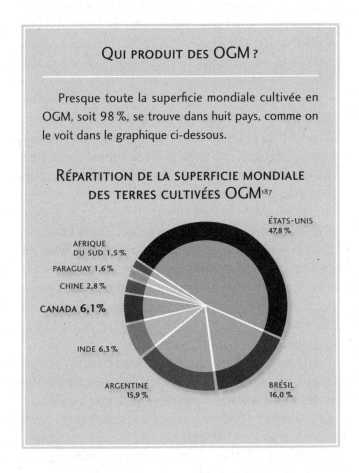

Qui produit des OGM ?

Presque toute la superficie mondiale cultivée en OGM, soit 98 %, se trouve dans huit pays, comme on le voit dans le graphique ci-dessous.

Répartition de la superficie mondiale des terres cultivées OGM[187]

ÉTATS-UNIS 47,8 %

AFRIQUE DU SUD 1,5 %

PARAGUAY 1,6 %

CHINE 2,8 %

CANADA **6,1 %**

INDE 6,3 %

ARGENTINE 15,9 %

BRÉSIL 16,0 %

En Afrique du Sud, par exemple, la productivité du maïs OGM serait de 20 à 34 % supérieure à celle du maïs conventionnel, alors qu'on parle d'augmentation de 9 % en Argentine et de 5 % au Canada[188]. Les OGM sont certainement des plantes bien adaptées aux monocultures intensives. Ils peuvent aussi constituer des plantes plus nutritives. Ainsi, les déficiences en vitamine A, responsables de plus de 2,8 millions de cas de cécité chez les enfants de moins de cinq ans[189] ont peut-être trouvé un remède dans le « riz doré » (« doré » en raison de sa couleur). Des chercheurs allemands et suisses ont développé ce riz OGM qui produit du bêtacarotène, le précurseur de la vitamine A. À l'heure actuelle, il n'est cependant pas disponible pour la consommation humaine à cause de la vive opposition des écologistes.

Organismes Génétiquement Méchants?

Si les semences OGM permettent de réduire l'utilisation de pesticides, d'augmenter la productivité agricole et d'aider à combattre les déficiences nutritives, pourquoi sont-elles si contestées ?

Une première crainte concerne l'altération irréversible et incontrôlée de la biodiversité. Dans *Le Monde selon Monsanto*, on apprend qu'au Mexique, bien que les cultures OGM soient interdites, on a trouvé des épis de maïs indigènes contenant des gènes de *Bt* et de Roundup Ready[190]. L'hypothèse la plus vraisemblable, c'est que des semences OGM transportées par le vent ont « contaminé » le maïs mexicain.

Au Québec, l'Union paysanne a diffusé une vidéo[191] troublante. On y voit un champ de soya dans lequel avait poussé du maïs l'année précédente. Or, des épis étant tombés pendant la récolte, le maïs s'est ressemé et devient une mauvaise herbe dans le champ de soya. Évidemment, le Roundup ne peut rien y faire puisque c'est du maïs Roundup Ready. Faut-il en déduire que les OGM empêchent la rotation des cultures ?

On a également découvert des plants de canola sauvage contenant deux gènes, celui de résistance au glyphosate du Roundup de Monsanto, et un deuxième de résistance à un autre herbicide, le glufosinate de Bayer. Or, aucune semence possédant ces deux gènes n'est commercialisée : cela signifie que les croisements dans la nature ont « créé » un OGM[192]. Ces nouveaux organismes deviennent à leur tour une sorte de mauvaise herbe qui a toute la latitude pour coloniser de nouveaux territoires, surtout si les herbicides auxquels ils résistent tuent les plantes concurrentes.

En créant littéralement des plantes qui n'existaient pas auparavant, Monsanto et les semenciers suscitent un autre dilemme : celui de la propriété du vivant. En effet, Monsanto détient des droits de propriété intellectuelle sur l'ADN des plantes résistantes au Roundup. Et qui dit propriété intellectuelle dit exclusivité et droit de regard (pour éviter la fraude). Les agriculteurs qui ont signé pour acheter leurs semences chez Monsanto doivent donc accepter d'être inspectés par la multinationale. Mais ils doivent surtout renoncer à conserver leurs meilleures semences d'une année à l'autre (car Monsanto se ferait alors « voler » l'ADN des semences qu'il n'a pas vendues). Or, depuis toujours, pour un agriculteur, conserver ses meilleures semences est la méthode pour adapter les plantes à un champ ou à un terroir spécifique. Par conséquent, avec sa logique de propriété du vivant, Monsanto exerce un contrôle complet sur une grande partie de la chaîne alimentaire. Il ne serait pas forcément exagéré de dire que nombre d'agriculteurs autrefois libres et indépendants ne sont plus guère que des employés de cette multinationale.

Les OGM et la santé
Peu de tests ont été réalisés sur les effets des OGM sur la santé. En tout cas, les études ne permettent pas d'écarter les doutes à long terme. Les gouvernements ont subi des pressions importantes pour que les

semences OGM soient rapidement adoptées. Dans les années 1990, il existait d'ailleurs un large consensus auprès des scientifiques de la Food and Drug Administration (FDA) : les OGM étaient potentiellement causes d'allergies difficiles à détecter et de nouvelles maladies. Des scientifiques de l'organisation américaine ont insisté auprès de leurs supérieurs pour que des études à long terme soient réalisées. Leurs conclusions étaient contraires à la volonté politique de développement agricole. Pour accélérer les choses, la FDA a recruté Michael Taylor, un ancien avocat de Monsanto, pour diriger l'élaboration de la politique américaine sur les OGM. Cette politique, toujours en place aujourd'hui et reprise par le Canada, dénigre les inquiétudes des scientifiques et soutient qu'aucune étude sur la sécurité des OGM n'est nécessaire[193].

D'autres scientifiques ont évoqué le risque des OGM. Ils ont souvent été bâillonnés. C'est ce qui est arrivé à Arpad Pusztai, chercheur pendant plus de trente-cinq ans au Rowett Research Institute, en Écosse. Il a été renvoyé après avoir publié une étude défavorable aux OGM. Une expérience consistait notamment à nourrir des rats avec des pommes de terre OGM. On observa alors des modifications dans leurs systèmes digestifs[194]. De leur côté, Monsanto et les autres producteurs de semences OGM refusent aux chercheurs l'accès à leurs produits[195]. La raison officielle? La protection de la propriété intellectuelle!

L'effet des OGM a été abondamment testé sur les animaux, mais jamais sur les humains. En 2009, l'American Academy of Environmental Medicine (AAEM) a demandé au gouvernement un moratoire et des études indépendantes plus poussées : « Plusieurs études effectuées sur des animaux ont démontré de sérieux risques pour la santé associés avec les aliments

Je mange avec ma tête

OGM : infertilité, problèmes immunitaires, vieillissement plus rapide, problèmes d'insuline et changements dans les principaux organes du système gastro-intestinal[196].» Les fœtus et les enfants seraient les plus à risque. La demande de l'Academy est restée sans réponse.

Pendant ce temps, on continue d'être exposés aux OGM.

Au printemps 2011, Aziz Aris, professeur-chercheur au département de gynécologie-obstétrique de la faculté de médecine de l'Université de Sherbrooke, a été le premier à démontrer la présence de résidus de pesticides d'OGM dans le sang d'un échantillon d'une trentaine de femmes enceintes. La toxine *Bt* a été détectée chez 93 % des femmes enceintes et 80 % des fœtus, alors que des résidus de glufosinate ont été trouvés chez toutes les femmes enceintes et leurs fœtus. Les concentrations relevées sont faibles, mais on sait que même une toxicité à faible dose peut avoir des effets à long terme[197].

Où trouve-t-on des OGM ?

Si l'étiquetage des produits contenant des OGM est obligatoire en Europe et dans plusieurs pays d'Asie, il ne l'est pas aux États-Unis ni au Canada. On peut s'interroger sur cet état de fait, influencé par les lobbys. Ceux-ci ont fait valoir (avec succès) que si les aliments OGM étaient étiquetés comme tels, les consommateurs pourraient croire qu'ils sont intrinsèquement différents des autres produits et donc inférieurs. Un argument qui semble plutôt tordu…

Mais contrairement à ce qu'on s'imagine parfois, on ne retrouve pas des OGM partout. Les végétaux OGM présentement approuvés et commercialisés demeurent en nombre limité. Au Canada, la liste ne comporte que douze espèces, dont trois sont cultivées au pays :

BETTERAVE SUCRIÈRE	MAÏS (POUR LES ANIMAUX ET LA TRANSFORMATION)*
CANOLA*	PAPAYE
COTON	POMME DE TERRE
COURGE	RIZ
LIN	SOYA*
LUZERNE	TOMATE

* Cultivé au Canada.

Lorsque les fruits et légumes sont étiquetés, on peut identifier ceux qui sont génétiquement modifiés grâce à un code PLU. Nous y reviendrons au chapitre 9.

On peut aussi trouver des traces d'OGM dans les aliments transformés (des produits préparés industriellement dont les ingrédients comprennent souvent du soya et du maïs). Des chercheurs québécois ont analysé le contenu d'un panier d'épicerie comportant une soixantaine d'aliments transformés fréquemment consommés. Environ 3 % du panier comportait des traces significatives d'OGM (notamment les biscuits sucrés croustillants, les gâteaux préemballés et les barres aux céréales[198]).

Le biologique, une agriculture « sans pour sans »

Les pratiques modernes ont bien permis d'augmenter la productivité des terres agricoles de façon spectaculaire et de sauver des millions de vies en s'appuyant sur des engrais, des pesticides et de la manipulation génétique. Mais ces pratiques contribuent de façon tout aussi spectaculaire à la pollution de l'eau, de l'air et des sols. De plus, elles constituent des menaces à la biodiversité et à notre santé et peuvent favoriser des monopoles propriétaires du vivant.

Selon l'Organisation des Nations unies pour l'alimentation et l'agriculture (FAO), il est désormais essentiel d'adopter une approche de la production

Je mange avec ma tête

agricole différente, tenant compte des facteurs économiques, sociaux et écologiques dans leur ensemble. Ce serait là la seule façon d'empêcher une dégradation accélérée de l'environnement[199].

L'agriculture biologique est souvent présentée comme une piste de solution. On peut la concevoir comme un système qui gère les ressources de façon cyclique et augmente la fertilité du sol en accroissant la matière organique en qualité et en quantité. Elle cherche à restreindre les apports extérieurs en remplaçant les engrais et les pesticides synthétiques par une gamme plus large d'espèces et une activité biologique importante[200]. En gros, c'est le contraire de l'agriculture intensive. On pourrait parler d'une agriculture « sans pour sans » : sans pesticides, sans fertilisants chimiques, sans manipulation génétique. Bref, une façon de cultiver plus respectueuse des écosystèmes.

LA LOGIQUE DU BIO

Contrairement à l'idée reçue, l'agriculture biologique n'a pas grand-chose à voir avec celle qu'on pratiquait au début du siècle. Le bio tel qu'on le connaît aujourd'hui laisse peu de place à l'intuition et à la tradition. Il s'appuie au contraire sur des années de recherche et d'expérimentation afin de créer un système équilibré.

Ainsi, l'agriculture bio utilise généralement des moyens mécaniques pour se débarrasser des parasites : récolte à la main, rotation, destruction des œufs, introduction d'insectes alliés, autocollants (sur lesquels viennent se coller les insectes), toile flottante apposée sur les plants. Quant aux pesticides « naturels », ils ne viennent qu'en dernier recours. Et plutôt que les engrais chimiques, les agriculteurs bio se servent de cultures de couverture pour nourrir les sols en nutriments. De quoi s'agit-il ? Une partie de la terre est mise en jachère. Des légumineuses comme le trèfle et la luzerne, des plantes capables de se nourrir de l'azote de l'air, se développent. Lorsqu'on laboure cette terre, cela produit un engrais naturel composé des légumineuses en décomposition qui permet aux cultures régulières de se nourrir. Cet engrais vert est parfois combiné avec des purins d'origine animale ou végétale, comme le purin d'orties. Le rendement de l'agriculture bio dépend largement du savoir-faire et de l'expérience de l'agriculteur. Et cette agriculture exige davantage de main-d'œuvre que l'agriculture intensive. Si les ventes de produits biologiques se sont multipliées au cours de la dernière décennie, la production demeure marginale. Moins de 2 % des fermes canadiennes étaient certifiées biologiques en 2008[201] et rares sont les productions bio à grande échelle.

Tout n'est pourtant pas rose au royaume de l'agriculture verte. En effet, ces techniques demandent de l'espace (ce n'est pas de l'agriculture intensive mais extensive). Les chercheurs soutiennent qu'une agriculture biologique adoptée à l'échelle mondiale demanderait de 25 à 82 % plus de terres agricoles[202].

Le modèle pluriculturel

Le bio pourra-t-il alors remplacer une fois pour toutes l'agriculture conventionnelle ? Pourra-t-il éradiquer la famine ? Certains le pensent, comme Vandana Shiva. Cette physicienne indienne, docteure en philosophie des sciences et féministe, est aussi une écologiste qui soutient la cause de l'agriculture paysanne et biologique. Pour elle, les aliments de base ne devraient pas être échangés internationalement : il faut viser la souveraineté alimentaire des peuples plutôt que le développement des monocultures. Vandana Shiva milite pour un modèle de pluriculture où la ferme redevient un système complet et autosuffisant. Dans ce cadre, les agriculteurs nourrissent d'abord leur famille avant

Je mange avec ma tête

de vendre leurs surplus. Quant aux animaux, ils remplacent la machinerie agricole et fertilisent les sols, en échange de quoi ils sont nourris (et, éventuellement, mangés…).

Ce modèle peut sans doute fonctionner dans plusieurs pays et améliorer la qualité de vie de nombreux paysans. Mais son application à l'échelle mondiale me semble malaisée. Plusieurs régions fortement peuplées ne sont pas très fertiles. Elles le seront encore moins au terme des changements climatiques annoncés. Et n'oublions pas la tendance lourde des humains à s'installer dans les grands centres urbains.

Au final, une chose me paraît claire : l'approche de l'agriculture biologique telle qu'on la connaît aujourd'hui est difficilement compatible avec les raisons qui ont vu naître l'agriculture intensive, soit la production de grandes quantités de nourriture sur une surface réduite. Au mieux, le bio ne pourrait guère nourrir plus de 4 milliards de personnes[203].

Lorsque Norman Borlaug a entrepris la révolution verte dans les années 1940, la terre comptait 2,3 milliards d'habitants. En 1970, année de son prix Nobel de la paix, elle en comptait 3,7. Nous sommes aujourd'hui près de 7 milliards et nous serons 9 milliards en 2050[204]. À l'heure actuelle, près d'un milliard de personnes souffrent de malnutrition. Le climat se réchauffe, les combustibles fossiles s'épuisent. L'humanité fait face aux plus grands défis de son histoire : comment nourrir toutes ces personnes en limitant les conséquences environnementales ?

Vers une nouvelle agriculture intégrée ?

Faut-il choisir son camp entre l'environnement et les bouches à nourrir ? Entre le bio et le chimique ? Et si la solution se trouvait dans un nouveau modèle intégré ?

Au cours des dernières années, la position de nombreux écologistes à l'endroit de la chimie en agriculture a évolué. Même s'il est vrai que les engrais chimiques et les pesticides ont causé des torts importants à l'environnement, il n'est pas réaliste pour le moment de penser qu'on puisse nourrir la planète sans y avoir recours. Cela ne signifie pas qu'il faille arrêter de questionner notre usage des procédés chimiques. On doit plutôt chercher à développer une nouvelle agriculture, une agriculture intensive plus durable, qui ferait la part des choses entre les erreurs de la révolution verte et les succès du bio.

C'est dans cet esprit que, en 2002, une Déclaration pour la protection de la nature à travers de l'agriculture et de la sylviculture à haut rendement a été signée par une brochette de sommités : Norman Borlaug, Eugène Lapointe, le président du World Conservation Trust, et Patrick Moore, écologiste canadien fondateur de Greenpeace. Ils y défendent l'idée que l'agriculture intensive a indirectement contribué à conserver les espaces naturels. Selon eux, l'agriculture intensive, basée sur les avancées scientifiques, serait nécessaire pour améliorer les conditions de vie de tous les peuples en préservant l'environnement et sa biodiversité[205]. Comme quoi on peut être écolo et soutenir l'agriculture conventionnelle. Un récent rapport de l'ONU allait dans le même sens : « Le développement de nouvelles variétés de cultures à haut rendement, un élément central de la première révolution verte dans l'agriculture, doit se poursuivre dans la mesure où ces activités sont souvent associées à une optimisation de la gestion de l'eau et à une meilleure utilisation des intrants agrochimiques et organiques[206]. »

Comme l'explique James E. McWilliams dans *Just Food: Where Locavores Get It Wrong And How We Can Eat Responsibly*[207], l'agriculture est, dans son essence même, contraire à la nature. Elle ne sera jamais com-

Je mange avec ma tête

plètement naturelle et son effet environnemental ne sera jamais nul. Peu importe à quel point les méthodes employées sont durables et naturelles, l'agriculture est une technique humaine. Elle modifie la nature : chaque ferme est une petite entreprise de transformation qui « dénature » l'environnement.

Il y a bien peu à gagner en opposant agriculture biologique et agriculture conventionnelle. Il vaudrait sans doute mieux les voir comme des pratiques complémentaires et conciliables dans une approche pragmatique. Là où le climat l'exige, les engrais chimiques pourraient très bien coexister avec des moyens mécaniques pour se débarrasser des parasites. Ailleurs, on peut combiner engrais verts et pesticides. Ces pratiques sont déjà encouragées par les clubs conseils au Québec et doivent se poursuivre.

Et si je pense qu'un moratoire sur les OGM actuels serait nécessaire pour mieux comprendre les risques qu'ils posent, je ne crois pas qu'il y ait lieu de s'opposer à la recherche et au développement d'OGM sécuritaires. Dans les pays en voie de développement, ces OGM pourraient offrir un meilleur rendement, une plus grande résistance aux climats extrêmes ou une meilleure valeur nutritionnelle[208].

Je ne vois pas de raison « philosophique » de craindre les OGM : le croisement entre deux espèces vivantes pour en faire une plus résistante pourrait bien ne pas être plus inquiétant que le croisement entre un âne et une jument qui produit une mule. La plupart de nos légumes ont été « domestiqués » depuis le Xe siècle pour être mieux adaptés à l'agriculture. Aujourd'hui, les manipulations génétiques sont contrôlées par quelques multinationales ; on peut toutefois imaginer que des organismes internationaux se chargeront de développer les semences de demain, des semences libres de droits et accessibles à tous. J'aime penser qu'un jour un fermier nigérien fera pousser sans intrants chimiques du blé génétiquement modifié pour résister à la sécheresse.

Certes, la préservation de l'environnement et la lutte contre la malnutrition et la sous-alimentation ne figurent pas aux premiers rangs des préoccupations des Monsanto de ce monde. Mais il n'est pas dit qu'une nouvelle révolution verte soit impossible, une révolution qui prendrait en compte aussi bien les contraintes environnementales que les besoins grandissants de nourriture sur la planète. Oui, la faim justifie les moyens. Mais elle justifie aussi des moyens politiques. Elle justifie que les États financent la recherche sur des nouvelles façons de cultiver : efficacement, sainement et à grande échelle.

Au quotidien, chez nous, acheter des produits issus de pratiques durables et biologiques est sans doute une bonne façon d'encourager ces changements. Mais cela ne peut nous dispenser de réfléchir collectivement aux problèmes de l'agriculture et de la faim dans le monde.

7

LES PLATS QUI RÉCHAUFFENT

Les conséquences environnementales de l'alimentation

Le réchauffement climatique. Rien de nouveau, rien de sexy. N'empêche. Après avoir parlé de faim dans le monde, on ne peut ignorer que l'augmentation de la température de l'atmosphère est aussi l'un des enjeux planétaires les plus importants auxquels l'humanité ait eu à faire face. Comme Canadiens, nous comptons parmi les plus grands pollueurs de la planète. Mais c'est la même atmosphère que partagent tous les habitants de la terre. N'avons-nous pas la responsabilité morale de ne pas utiliser plus que notre part ?

Soit. Mais que vient faire un chapitre sur ce sujet dans un livre sur l'alimentation ? On associe habituellement le réchauffement climatique à l'industrialisation et aux transports. En fait, nous allons voir que nos choix alimentaires jouent un rôle tout aussi important. D'une manière ou d'une autre, de 20 à 30 % des émissions de gaz à effet de serre sont liées à notre assiette[209]. Et tout comme on commence à se soucier des conséquences environnementales de nos voitures, il serait grand temps d'y penser lorsqu'on choisit nos aliments.

Souffler le chaud et le froid

Depuis le milieu du XVIIIe siècle et le développement de l'industrialisation, des quantités de gaz de plus en plus importantes sont relâchées dans l'environnement. Or, comme on le sait aujourd'hui, ces gaz empêchent les émissions thermiques de la Terre de quitter l'atmosphère. C'est un peu comme le toit d'une serre : il laisse entrer plein de chaleur, mais seulement une petite partie s'en échappe. Situation idéale pour faire pousser des tomates, elle l'est moins quand on n'a pas le choix et que la serre existe à l'échelle planétaire !

La température moyenne à la surface de la planète a augmenté de 0,6 degré depuis le début du XXe siècle. C'est la plus forte hausse jamais enregistrée en si peu de temps[210]. Le climat, en se réchauffant, entraîne des réactions en chaîne : les glaces de l'Arctique fondent, le niveau de la mer monte, les tempêtes et les vagues de chaleur s'intensifient.

Ainsi, au cours des dernières années, de nombreux records de température ont été battus. D'ailleurs, les dix années les plus chaudes de l'histoire ont toutes été mesurées depuis 1995[211]. La plupart des experts s'entendent pour dire que le réchauffement va se poursuivre. Les températures terrestres devraient augmenter de 1,4 °C à 5,6 °C d'ici à 2100. Ces chiffres peuvent nous sembler tout de même légers – surtout par une journée d'hiver québécois de -15 °C. Mais plus on s'approche de l'équateur, plus le réchauffement peut provoquer des changements importants, imprévisibles et incontrôlables. Le cycle des moussons en Asie pourrait être bouleversé et certains courants marins comme le Gulf Stream pourraient changer de direction.

Je mange avec ma tête

Notre responsabilité morale quant au réchauffement du climat

Dans son essai *One World*[212], le philosophe Peter Singer a dressé une liste de certaines manifestations concrètes du réchauffement climatique sur les populations :

- les ouragans et les tempêtes tropicales pourraient s'éloigner de l'équateur pour toucher de nouvelles régions urbaines ;
- les maladies tropicales seront plus répandues ;
- l'agriculture se développera dans les régions nordiques mais diminuera dans d'autres régions, comme en Afrique subsaharienne ;
- le niveau de la mer augmentera de 9 à 88 cm, ce qui fera disparaître des régions entières situées à basse altitude ;
- des « réfugiés climatiques », victimes d'inondations par exemple, devront être secourus, ce qui pourrait entraîner des troubles économico-politiques s'ils sont jugés trop nombreux.

Les pays comme le Canada devraient pouvoir faire face à ces changements sans conséquences trop graves. Nous sommes riches, avons de bonnes réserves de nourriture et notre agriculture pourrait même être favorisée par un climat plus doux. Nous avons de la place pour accueillir d'éventuelles populations de réfugiés climatiques et disposons de moyens pour lutter contre des infestations d'insectes. Mais les principes de justice et de compassion imposent de regarder aussi dans le pré du voisin.

Le Bangladesh est le pays le plus densément peuplé de la planète. Il s'est construit dans une région très fertile, autour d'un système complexe de deltas, où le Gange et le Brahmaputra rejoignent le golfe du

Bengale. Cette région est située en dessous du niveau de la mer. En 1991, les vagues causées par un important cyclone ont laissé 10 millions de personnes sans abri et en ont tué 139 000 autres. Si le niveau de la mer continue d'augmenter, 70 millions de Bengalis pourraient perdre leur maison. Et la menace ne pèse pas que sur le Bangladesh : autant de Chinois risquent de se retrouver dans la même situation, comme des millions d'Égyptiens et habitants de petites îles.

Si les populations les plus pauvres seront les premières à souffrir du réchauffement climatique, elles n'en sont pourtant pas responsables. Les changements climatiques sont largement causés par les plus riches[213]. Si l'on divise le total des émissions de CO_2 entre chaque habitant, les Canadiens et les Australiens sont les plus gros émetteurs du G7. Notre pays n'a jamais atteint les objectifs qu'il s'était fixés en matière de réduction d'émissions. Pire encore, plutôt que de se stabiliser, nos émissions continuent d'augmenter[214].

Politique intérieure ou justice globale ?

Les conséquences économiques d'une réduction des GES semblent peut-être plus concrètes que celles du réchauffement climatique. Elles sont surtout plus tangibles sur le programme politique à court terme des élus canadiens. Il arrive pourtant qu'un projet de loi visant à imposer une réduction des GES soit déposé au Sénat. Mais les sénateurs refusent de l'étudier. Ce que Marjory LeBreton, la leader du gouvernement du Sénat, justifie en ces termes : « S'il était passé, ce projet de loi aurait coûté une tonne d'emplois, aurait été nuisible à l'économie et aurait ruiné nos négociations [environnementales] avec les États-Unis[215]. »

Ce que ne dit pas Marjory LeBreton, c'est que les émissions de CO_2 du Canada ne profitent pratiquement qu'aux Canadiens alors que ce sont tous les habitants de la Terre qui en subissent les conséquences. Nous sommes, pour ce qui est du climat, devant une situation où une ressource limitée, l'air (on ne peut plus émettre autant de CO_2 qu'on le voudrait), doit être partagée entre tous les habitants de la Terre. Ce n'est pas une simple question de politique intérieure, c'est un enjeu de justice planétaire. Comme le défend Singer, chaque humain devrait avoir accès à une part égale de l'atmosphère[216]. Et peu importent les conséquences sur les négociations avec les États-Unis...

La justice est souvent une affaire de répartition. Comment découper un gâteau en parts équitables? Imaginons que le gâteau, c'est l'atmosphère. Plus précisément, notre gâteau atmosphérique commence en 1990: c'est en gros la date à partir de laquelle on connaît l'incidence des émissions de GES sur le réchauffement climatique, donc la date à partir de laquelle nous devenons, en un sens, responsables. Supposons maintenant que notre gâteau «se termine» en 2050. D'ici là, on peut tabler sur une augmentation «raisonnable» de la température de la Terre de deux degrés*. Il est alors possible de calculer la quantité de GES à laquelle «a droit» chacun des convives (chaque humain vivant entre 1990 et 2050 ayant une part égale). Mauvaise nouvelle pour les Canadiens: nous avons déjà consommé une bonne partie de notre part du gâteau depuis 1990. Combien nous en reste-t-il? Au rythme actuel de notre consommation, nous en aurions encore pour... six ans! (Et certainement moins quand vous lirez ces lignes[217].)

---

* On estime qu'au-delà de 2 °C le réchauffement climatique pourrait devenir incontrôlable, car il amorcerait une phase d'autoalimentation à peu près impossible à arrêter. La hausse du climat terrestre libérerait des milliards de tonnes de méthane enfoui dans le pergélisol nordique et au fond des mers. Cette contribution additionnelle du méthane coïnciderait avec une réduction croissante de la capacité des mers à absorber le gaz carbonique.

Une précision s'impose. Jusqu'à présent, j'ai parlé de GES, mais comme ces gaz sont diversement nocifs pour l'atmosphère, les experts utilisent aujourd'hui comme unité de référence le CO_2: c'est un peu le dollar US des gaz à effet de serre. Chaque émission de GES est donc rapportée à son équivalent CO_2. Un des intérêts de cette équivalence, c'est qu'elle permet de faire des calculs comme celui que j'ai reproduit dans le paragraphe précédent. Mais elle permet aussi d'imaginer des mécanismes de compensation, les fameux « crédits carbone ». Pour être en règle avec la justice planétaire, le Canada pourrait donc « acheter » des crédits d'émissions de CO_2 à des nations moins polluantes.

D'OÙ VIENNENT LES GAZ À EFFET DE SERRE[218] ?

Gaz	% des émissions	Sources
Gaz carbonique (CO_2)	77 %	Électricité, chauffage, transport, industrie
Méthane (CH_4)	15 %	Bétail et fumier, culture du riz, sites d'enfouissement
Oxyde nitreux (N_2O)	7 %	Culture intensive des sols, lisier

Mais cela ne pourra pas nous dispenser de réduire radicalement nos émissions. Le site gouvernemental climatechange.gc.ca (« L'action du Canada sur les changements climatiques ») propose une liste de dix gestes à faire pour réduire notre consommation d'énergie. Ça va d'éteindre l'ordinateur et les lumières à « marchez ou prenez le vélo dès que vous en avez l'occasion », en passant par l'isolation de sa maison, le lavage à l'eau froide, le recyclage et «plantez un arbre».

Mais les Canadiens ne sont pas parmi les plus gros pollueurs de la planète parce qu'ils laissent les lumières allumées et qu'ils font leur lavage à l'eau tiède! Si je plante un arbre, puis-je vraiment me permettre de conduire un Hummer? Suivre dix recommandations gouvernementales clés, cela aurait-il un effet significatif sur le réchauffement climatique?

ALIMENTATION ET RÉCHAUFFEMENT CLIMATIQUE

Les trois quarts des émissions de CO_2 sont liés au transport, à la production d'électricité, au chauffage et à des sources industrielles. On parle beaucoup moins du quart restant: ce sont les émissions liées à l'agriculture. En fait, c'est près du tiers des émissions de CO_2 qui sont liées à notre alimentation, puisque celle-ci suppose aussi de l'électricité, du transport, etc[219]. Réduire notre utilisation des transports polluants demeure sans doute la meilleure façon de limiter notre empreinte écologique. Mais quelques changements simples dans nos habitudes alimentaires auront également des retombées importantes. Étonnamment, le gouvernement du Canada n'en parle pas.

Il existe de nombreuses façons de calculer les émissions de GES liées à l'alimentation, et j'ai vite compris qu'elles n'étaient pas nécessairement cohérentes. Les démêler pourrait faire l'objet d'un livre entier. N'empêche qu'on sait qu'il s'émet du CO_2, du méthane ou de l'oxyde nitreux à chaque étape de la chaîne alimentaire. Il faut tenir compte de beaucoup de facteurs liés au cycle de vie des aliments: les dépenses en eau, l'utilisation de pesticides, l'application d'engrais, la quantité de carbone absorbé par la photosynthèse, les techniques de récolte, l'emballage, la conservation, les conditions climatiques du pays producteur, la préparation, la transformation et le traitement des déchets. Et cette liste n'est pas exhaustive!

Utilisation de combustibles fossiles des aliments consommés aux États-Unis

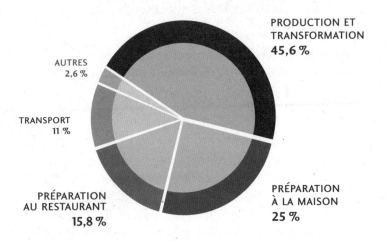

PRODUCTION ET TRANSFORMATION
45,6 %

AUTRES
2,6 %

TRANSPORT
11 %

PRÉPARATION
AU RESTAURANT
15,8 %

PRÉPARATION
À LA MAISON
25 %

Depuis quelques années, on vante la consommation de produits locaux pour limiter les émissions de CO_2. Pourtant, le transport n'utilise que 11 % des combustibles fossiles qui entrent dans la fabrication de nos aliments. C'est plutôt sur le plan de la production et de la transformation qu'on dépense le plus d'énergie, soit 45,6 %. Vient ensuite la préparation à la maison, qui compte quand même pour le quart de l'énergie. Un rapport commandé par l'Agence britannique des normes alimentaires (FSA) recommande d'ailleurs l'utilisation du micro-ondes ou de la mijoteuse, moins énergivores que la cuisinière traditionnelle[220]. À ce compte, il vaut sans doute mieux manger une salade de légumes importés qu'une pizza surgelée faite au Québec. De même, certains légumes importés

Je mange avec ma tête

de Floride, de Californie ou du Mexique, même s'ils sont transportés dans des camions frigorifiés, produisent moins de CO_2 que les aliments qu'on produit ici en hiver dans des serres énergivores.

KG DE CO_2 PAR KG D'ALIMENT

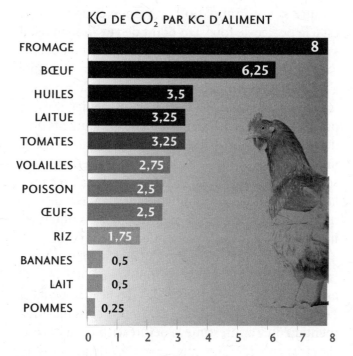

FROMAGE	8
BŒUF	6,25
HUILES	3,5
LAITUE	3,25
TOMATES	3,25
VOLAILLES	2,75
POISSON	2,5
ŒUFS	2,5
RIZ	1,75
BANANES	0,5
LAIT	0,5
POMMES	0,25

LE CAS DE LA VIANDE

Pour limiter nos émissions de GES, nous devrions nous tourner vers des aliments qu'on cultive et transforme en utilisant le moins d'énergie possible. À cet égard, le bio est un bon choix parce qu'il limite l'utilisation d'intrants chimiques. Mais si l'on regarde de plus près les émissions par kilogramme de chaque type d'aliment (voir le tableau ci-dessus), on constate que le fromage et le bœuf sont responsables de la plus large part des émissions de CO_2.

Les produits d'origine animale sont en effet souvent désignés comme les plus grands producteurs de gaz à effet de serre. Il peut être difficile de se chauffer à l'énergie solaire, d'aller travailler en vélo en plein hiver, ou d'implanter un système de transport en commun efficace en Gaspésie. Mais choisir des aliments qui ont une faible empreinte énergétique et réduire sa consommation de viande et de fromage est à la portée de tous. Du point de vue individuel, il s'agit certainement de la manière la plus simple et efficace de réduire nos émissions. Une étude américaine a d'ailleurs récemment conclu qu'on réduit davantage ses émissions de CO_2 en étant végétalien un jour par semaine qu'en ne mangeant que des aliments produits localement[221]. C'est en tout cas ce que pense le président du Groupe d'experts intergouvernemental sur l'évolution du climat (GIEC), Rajendra Pachauri : la réduction de la consommation de viande et de produits laitiers constitue la meilleure option pour agir immédiatement sur le réchauffement climatique[222].

Dans son rapport *Livestock's Long Shadow – Environmental Issues and Options,* publié en 2006, le FAO estimait à 18 % les émissions de GES liées au bétail[223]. Les chiffres ont depuis été critiqués : certains affirment qu'on y a surestimé la déforestation[224] alors que d'autres considèrent que la part du bétail dans les GES a été sous-estimée[225]. Comme je l'ai déjà indiqué, la diversité des facteurs en cause rend difficile une évaluation consensuelle. On peut toutefois affirmer sans risque que la vérité se trouve quelque part entre 10 %[226] et 51 %[227] (ce sont les évaluations minimum et maximum disponibles à ce jour). Laissons pour le moment la question du « combien » et demandons-nous plutôt « comment ».

Digestion, déforestation et transformation
Toutes les étapes de la production d'un steak contribuent aux émissions de GES. D'abord, en digérant, les bovins émettent une importante quantité de méthane.

Ensuite, la décomposition de leurs déjections produit également du méthane ainsi que de l'oxyde nitreux. De plus, il faut tenir compte de l'épandage de fertilisants chimiques ou biologiques dans les champs destinés au bétail. La production des céréales à bovins brûle aussi des combustibles fossiles.

Un autre facteur majeur tient à la déforestation. En effet, si le bétail est élevé de façon extensive (en pâturage), il faut déboiser pour créer les « parcs d'engraissement » dans lesquels les animaux vont grandir. Mais même lorsque l'élevage se fait en confinement, la déforestation a lieu indirectement : pour faire pousser les céréales qui nourrissent les animaux. Or, les arbres absorbent le gaz carbonique présent dans l'air. Lorsqu'ils sont coupés, le carbone qu'ils avaient emmagasiné est libéré dans l'atmosphère alors que leur capacité d'absorption est réduite à zéro.

Enfin, la transformation de la viande (en charcuteries, par exemple) ou du lait (en beurre, en fromage et en yogourt) et la cuisson des aliments complètent le tableau des GES liés au bétail.

Taxer la viande pour sauver la planète

Il y a quelques mois, des chercheurs suédois se sont demandé quel effet aurait une taxe « verte » sur la consommation de bœuf et de produits laitiers. Après tout, on accepte bien aujourd'hui de payer nos sacs d'épicerie par souci écologique. Pourquoi ne pas en faire de même avec les aliments nocifs pour l'environnement ? Les chercheurs ont fixé le prix de la taxe à 60 € par tonne de CO_2, soit la moitié du prix habituel sur les émissions qu'imposent certains pays européens. Concrètement, la viande de bœuf serait alors taxée à 16 %. Grâce à des modélisations économiques sophistiquées, les chercheurs ont alors estimé que sa consommation diminuerait de 15 %. En utilisant ensuite les terres agricoles ainsi libérées pour produire des biocarburants, la réduction totale des émissions pourrait atteindre 5 % en Europe[228].

À l'instar des taxes sur l'essence et sur la cigarette qui ont amené les consommateurs à modifier leurs habitudes, une taxe sur la viande ne forcerait personne à devenir végétarien. Elle encouragerait plutôt une diète un peu plus saine, plus durable. Quant aux recettes générées, elles pourraient très bien être utilisées pour lutter contre le réchauffement climatique.

Voilà une idée qui me semble concrète et réaliste. J'ai bon espoir que des politiciens s'en empareront pour la faire germer dans notre démocratie (même si je ne compte pas trop sur certains d'entre eux). Une taxe sur la viande pourrait bien nous paraître un jour aussi légitime que celle sur les cigarettes.

D'ici là, chacun d'entre nous doit se rappeler qu'un geste politique tout simple est à sa portée, geste qui participe à la justice planétaire et dont dépend aussi l'avenir que nous préparons à nos enfants : manger moins de viande, de fromage et de produits transformés. Comme le réchauffement climatique est aujourd'hui une réalité, il serait grand temps de l'envisager sérieusement. On n'a plus vraiment le choix.

8

FINIS TON ASSIETTE !

Le gaspillage alimentaire

Ne mets pas tes coudes sur la table! Ne fais pas de bruit quand tu manges ta soupe! Mâche la bouche fermée! Ne joue pas avec ta nourriture! Ne te lève pas de table tant qu'on ne te le dit pas! Finis ton assiette!

Lorsque j'étais enfant, les règles de table étaient nombreuses. Avec le recul, je réalise qu'une seule d'entre elles était vraiment une règle morale: «Finis ton assiette.» Curieusement, c'est celle que j'avais le plus de mal à suivre, n'ayant jamais eu un très gros appétit. Mais je serais née en Asie que les choses n'auraient sans doute pas été différentes. Éviter le gaspillage est une règle quasi universelle. On trouvera toujours quelqu'un pour défendre la consommation de viande ou pour émettre des justifications économiques à l'usage de pesticides, mais celui qui voudra légitimer le gaspillage de nourriture devra se lever de bonne heure!

De façon assez surprenante, ce n'est qu'au cours des dernières années qu'on a commencé à étudier l'ampleur et les effets du gaspillage alimentaire. Les résultats des premières études ont de quoi réveiller les brocolis fanés : au Canada, la moitié des aliments produits serait gaspillée[229]. La moitié de la souffrance animale, des engrais chimiques épandus et des ouvriers qui se tuent à récolter des fruits pleins de pesticides, tout cela en pure perte ?

Finis ton mammouth !

Dans notre culture, un garde-manger bien rempli est une marque de statut social et d'aisance. La table du riche a toujours été garnie du nécessaire et du superflu. L'opulence des banquets aristocratiques fut reprise par les bourgeois lorsqu'ils accédèrent à la richesse puisque c'était là une façon de se démarquer des paysans. L'abondance est également perçue comme un signe d'hospitalité : on craint d'offrir à ses invités de la nourriture en quantité modérée de peur de passer pour avare. Chez nous, la nourriture est suffisamment bon marché pour qu'on ne risque pas d'avoir l'air *cheap*. Il n'est donc pas surprenant que les hôtels et les restaurants jettent des quantités astronomiques après chaque banquet. C'est mal de jeter, mais pas aussi mal que de mal paraître.

Il y a aussi quelque chose d'instinctif dans notre besoin de faire des réserves, d'accumuler. Des parents responsables s'assurent que leur famille ne manquera de rien. Avoir des surplus est rassurant. On imagine facilement que, dans un environnement hostile où les ressources sont rares, celui qui accumule augmente ses chances de survie. Il est normal de produire plus que ses besoins réels. Il faut bien être prêt à faire face aux hivers rigoureux ou aux périodes de pénurie.

Même nos ancêtres d'il y a 12 000 ans gaspillaient ! Lorsque les premiers « Américains » sont descendus de l'Alaska vers la Patagonie, certaines espèces animales prospéraient, n'ayant jamais connu de prédateurs. Mais en moins de mille ans, les trois quarts des mammouths avaient disparu. Des changements climatiques sont peut-être en cause, mais le gaspillage humain n'y est pas non plus étranger : les restes trouvés par les archéologues montrent qu'une petite partie seulement des bêtes chassées avait été consommée. Il semblerait qu'il était plus facile et moins coûteux en temps et en énergie de tuer de nouvelles proies – abondantes, paresseuses et peu méfiantes – que de s'efforcer d'en préserver la viande. Les premiers habitants de l'Australie avaient quant à eux l'habitude de brûler des forêts entières afin de capturer quelques gros mammifères qui fuyaient les flammes.

Tout comme les mammouths « peu coûteux » d'il y a 12 000 ans, le faible coût de notre panier d'épicerie expliquerait en partie le gaspillage, pense Pascal Thériault, agroéconomiste à l'Université McGill : « L'alimentation n'occupe pas une partie assez importante du budget. On n'attache donc pas vraiment de valeur à la nourriture. Si on prend la question d'un point de vue général, plus un produit coûte cher, moins on est intéressé à ce qu'il se retrouve à la poubelle[230]. »

« Moi, je ne gaspille pas »

Même si tout le monde gaspille, chacun a tendance à croire que *lui* ne gaspille pas et qu'il s'agit là d'un événement exceptionnel plutôt que d'un problème structurel dans sa façon d'organiser les repas. Dans une enquête[231], le département américain de l'agriculture (USDA) a montré que la majorité des familles répondaient « aucune » à la question : « Combien de nourriture jetez-vous ? » Pourtant, il n'était pas rare de voir des répondants jeter des restes de repas durant l'entrevue elle-même.

UNE DATE BIEN RELATIVE

Une grande quantité de nourriture est jetée parce qu'elle est «périmée». La nourriture ne se détériore pas soudainement quand sa date d'expiration est atteinte. C'est un processus qui commence dès que l'aliment est cueilli, préparé ou encore dès que l'animal est tué. La vitesse à laquelle le produit se dégrade dépend davantage des conditions de conservation que du temps: un steak se conservera plus longtemps dans la partie la plus froide du frigo que près de la lumière. De plus, les dates de péremption sont une indication de qualité optimale, et non de sécurité.

Les manufacturiers testent le comportement de l'aliment dans les pires conditions possibles pour fixer le moment où il commence à se détériorer[232]. C'est cette date d'expiration qu'on indique sur les emballages. En général, s'ils sont réfrigérés dès qu'on rentre de l'épicerie, les produits d'origine animale comme la viande ou le lait sont encore bons à consommer entre trois et sept jours après la date indiquée. L'Agence canadienne d'inspection des aliments mentionne d'ailleurs que «les aliments peuvent être achetés et consommés après la date de péremption. Toutefois, lorsque la date de péremption ou la durée de conservation est dépassée, l'aliment peut perdre un peu de sa fraîcheur ou de son goût ou sa texture peut être différente. L'aliment peut également perdre un peu de sa valeur nutritive, par exemple sa teneur en vitamine C».

On gaspille aussi parce qu'on achète selon ce qu'on voudrait manger et non pas selon ses habitudes réelles. Concrètement, cela veut dire que la famille moyenne croit en une bonne hygiène de vie et achète

Je mange avec ma tête

beaucoup plus de fruits et légumes qu'elle n'en mangera tout au long de la semaine. On revient du travail un peu plus tard que prévu, exténué. On préfère dégeler une pizza que de cuisiner un repas. Résultat : en fin de semaine, les légumes frais sont gâtés. En faisant l'épicerie, on est aussi attirés par des spéciaux du type « achetez en deux, obtenez-en un troisième gratuit » ou par de nouveaux produits « à découvrir ». Mais s'ils ne correspondent pas à nos besoins ni à nos habitudes de consommation, ils finiront probablement à la poubelle. Aux États-Unis, 15 % de la nourriture jetée est encore dans son emballage d'origine et la date de péremption n'est pas dépassée[233].

Le gaspillage organisé

Chaque fois que je mets les pieds dans une grande surface, je suis éblouie par tous les fruits et légumes parfaitement disposés, parfaitement frais, sans la moindre tache ou égratignure, comme si l'on avait dupliqué la même tomate ou le même poivron des dizaines de fois pour former une mosaïque aux allures de pop art.

Évidemment, les tomates et les poivrons ne naissent pas tous identiques et impeccables. Des études estiment que la moitié des légumes produits ne répondent pas aux critères d'apparence des grandes surfaces[234]. Les carottes, par exemple, doivent être absolument droites pour pouvoir être pelées facilement. Il existe bien sûr des marchés parallèles pour ces légumes imparfaits qu'on peut utiliser dans la transformation. Mais il reste que des tonnes de légumes sont rejetées pour des raisons bêtement esthétiques : seules les plus grosses carottes seront récupérées pour la transformation. Dans le meilleur des cas, les plus petites seront achetées à très bas prix pour devenir de la nourriture pour animaux. Le Québec ne fait pas exception. Une amie qui travaillait dans une ferme bio a rempli son sous-sol de conserves qu'elle a réalisées à partir de légumes jetés par son employeur. Des légumes absolument délicieux, mais semble-t-il pas assez jolis pour remplir les paniers des clients.

La principale cause du gaspillage dans les champs demeure cependant les contrats qui lient les producteurs aux grandes surfaces d'alimentation. Alors que la qualité et la quantité des récoltes dépendent du temps qu'il fait, les agriculteurs sont engagés par contrat à fournir une quantité précise de fruits et de légumes. Or, pour limiter le risque d'une récolte insuffisante, ils doivent prévoir une marge assez large, parfois jusqu'à 40 % de plus. Lorsque la récolte est bonne, même s'il existe des marchés secondaires, les coûts de ramassage font que, souvent, il est plus rentable de laisser ces légumes en surplus pourrir dans les champs.

Glaner n'est pas voler

Certains en profitent. Le documentaire *Les Glaneurs et la Glaneuse*[235], réalisé il y a une dizaine d'années par Agnès Varda, nous entraîne chez ceux qui pratiquent ce qui est peut-être le second plus vieux métier du monde. Traditionnellement, les glaneurs, comme ceux que l'on voit dans le célèbre tableau de Jean-François Millet, parcouraient les champs quand les récoltes étaient terminées et y ramassaient ce qui avait été laissé de côté. Les glaneurs contemporains de Varda ne sont pas tellement différents. Les plus chanceux n'ont pas à parcourir les champs au soleil couchant : ils se rendent directement là où sont déversées des montagnes de pommes de terre, trop petites ou trop grosses pour répondre aux standards des supermarchés. Lorsqu'ils ont rempli le coffre de leurs voitures à ras bord, la montagne de pommes de terre ne semble même pas avoir diminué.

Je mange avec ma tête

En mer, les glaneurs ont des plumes et volent en groupe autour des bateaux de pêche pour récupérer quelques poissons abandonnés. Comme je le mentionnais au chapitre 3, la pêche industrielle génère elle aussi des quantités astronomiques de déchets en rejetant à la mer les « prises accessoires ». Bien souvent, les espèces délaissées sont tout à fait bonnes pour la consommation humaine, mais le marché n'est pas assez profitable pour qu'on les ramène sur terre. On assiste même à des situations assez loufoques : les sardines, par exemple, sont des déchets pour les pêcheurs européens alors que la pêche aux sardines est l'une des plus importantes au Mexique. En fait, les humains ne consomment que la moitié des poissons qui sont pêchés[236].

Les choses se sont quand même améliorées au cours des dernières années. Comme plusieurs espèces traditionnelles ne sont plus disponibles en raison de la surpêche, des poissons rejetés par le passé sont désormais ramenés au port. On utilise aussi des espèces dont la demande est moindre pour faire des produits transformés comme le surimi, populaire en Asie.

Enfin, les techniques de pêche ont été optimisées à quelques endroits pour réduire le volume des prises accessoires, et des pays comme l'Islande et la Norvège ont même adopté des lois interdisant le *bycatch*.

Les déchets des uns font le bonheur des autres

Un déchétarien, c'est quelqu'un qui se nourrit de ce qu'il trouve dans les poubelles. Les déchétariens sont peut-être les glaneurs des villes : ils sont certainement les grands spécialistes du gaspillage alimentaire. J'ai discuté sur Facebook avec l'un d'entre eux, Yarrah, qui habite au Danemark. Il m'a ouvert les yeux : « On trouve toujours des montagnes de pain et de produits frais dans les poubelles. Les épiceries stockent toujours plus qu'elles n'en ont besoin parce qu'elles risquent de perdre des clients si les étalages ont l'air vides. As-tu déjà vu des étalages vides ? »

Yarrah a raison, les tablettes des épiceries ne sont jamais vides. Comme l'explique Tristram Stuart dans *Waste*, les marges pour une épicerie sont telles qu'il vaut mieux perdre des aliments que perdre des ventes parce qu'un produit n'est pas disponible. C'est souvent le cas avec le pain et les repas prêts à manger qui sont préparés tout au long de la journée et qui seront jetés à la fermeture du magasin. Pourquoi ne pas vendre ces denrées moins cher en fin de journée ? On le fait parfois, mais on veut éviter que les consommateurs attendent ce moment pour faire leurs achats. On a aussi tendance à garder les étalages de produits périssables bien remplis même lorsque la demande est plus faible parce que les ventes sont meilleures quand le client a une impression d'abondance. Encore là, mieux vaut perdre quelques tomates que perdre une vente de tomates. Les épiceries jettent aussi des paquets endommagés, des fruits et légumes légèrement abîmés qui ne seront pas achetés et des aliments dont la date de péremption approche[237].

Lorsqu'on demande aux grandes chaînes de supermarchés ce qu'elles font pour réduire la quantité d'aliments jetés, elles répondent que les stocks sont gérés de façon très serrée et que certains détaillants ont des ententes avec des banques alimentaires. Le hic, c'est que la plupart des chaînes sont des regroupements d'épiciers indépendants et chacun gère ses déchets comme il l'entend. Les grandes épiceries ont aussi tendance à cadenasser leurs bennes à ordures : difficile de vérifier ce qui s'y trouve. Des études réalisées en Angleterre et basées sur les déclarations des commerçants suggèrent que les déchets d'épiceries représentent plus de 1,6 million de tonnes par année[238]. Si l'on transpose cela à la population du Québec, on peut estimer que les épiceries gaspillent

224 000 tonnes, soit environ 5 % des déchets organiques enfouis annuellement[239].

Il faut aussi dire que les supermarchés refilent à leurs fournisseurs une partie de la gestion des déchets. En effet, les grandes épiceries vont souvent passer leurs commandes à la dernière minute : cela évite de stocker et permet de s'ajuster exactement à la demande. Mais en limitant ainsi les pertes au bout de la chaîne, les grandes chaînes forcent les fournisseurs à prendre le risque de perdre pour respecter les commandes. D'ailleurs les petits commerces comme les dépanneurs, les épiceries de quartier et les fruiteries ont tendance à jeter une part plus importante de nourriture que les plus grandes surfaces[240]. Cela s'explique justement par un système moins « tendu » de gestion des stocks et de l'approvisionnement.

Un freegan *snob*

Malgré mes recherches, j'avais encore du mal à croire que les épiciers jetaient des aliments parfaitement bons jusqu'à ce que je rencontre Alexandre. Ce jeune Montréalais dans la vingtaine est végan depuis l'âge de seize ans et plutôt crudivore. Mais surtout, il a passé le dernier hiver sans rien acheter ! Il pratique ce qu'on appelle le *dumpster diving* : il « plonge » dans les poubelles des épiceries pour récupérer sa nourriture. « C'était plutôt facile. Je n'ai manqué de rien. On trouve plus de nourriture que ce dont on a besoin, m'explique-t-il. Et je suis un *freegan* snob, précise-t-il. Je préfère faire du *dumpstering* dans les fruiteries bio. » Aujourd'hui, il complète ses collectes dans les poubelles en achetant des produits comme du thé, qu'on trouve rarement dans les containers.

Il suffit de se balader dans les ruelles derrière les épiceries, même en plein jour, pour prendre conscience qu'il n'y a rien de plus facile que de faire son marché sans payer. Il était à peine 19 heures, ce jeudi soir du mois de juin. Nous étions à deux pas de l'avenue du Parc, à Montréal. Après avoir passé quelques minutes à déplacer des cartons, nous avions déjà trouvé du brocoli, des pousses de luzerne, des cerises, des oranges, des tomates, des fraises et des citrons. Et tout du bio! Nous pouvions même nous permettre d'être plus difficiles en laissant de côté les produits un peu moins frais! Chose certaine, ces fruits et légumes ne ressemblaient en rien à des déchets. À peine quelques minutes plus tôt, ils étaient vendus sur les tablettes de l'épicerie.

Ce qui m'a le plus étonnée dans cette séance de déchétarisme, c'est l'interaction entre Alexandre et les employés de la fruiterie. Nous sommes arrivés près du container alors qu'un employé du magasin s'affairait à décharger un camion. Alexandre a demandé si nous pouvions fouiller dans les poubelles débordantes. «Revenez dans trente minutes», a répondu l'autre. À notre retour, l'employé était encore là. Il nous a souri et nous a dit que nous pouvions y aller. Une fois nos sacs remplis, il nous a souhaité une bonne soirée. «Il y en a qui ne nous aiment pas, mais on apprend à les connaître», m'a confié Alexandre.

L'EFFET SUR L'ENVIRONNEMENT ET LA MALNUTRITION

Les conséquences écologiques d'un tel gaspillage sont stupéfiantes. Tristram Stuart estime que 10 % des émissions de GES des pays industrialisés sont imputables à la production d'aliments qui ne seront pas consommés. La décomposition d'aliments enfouis dans les dépotoirs entraîne aussi d'importantes émissions de méthane, un des trois principaux gaz à effet de serre. Mais ce n'est pas tout. L'eau gaspillée pour produire de la nourriture qui ne sera pas consommée serait suffisante pour combler les besoins de 9 milliards

Moins de déchets, plus d'énergie

Récemment, le gouvernement du Québec a annoncé qu'il espérait bannir complètement l'enfouissement des matières organiques d'ici 2020. Pour y parvenir, on investira notamment 559 millions de dollars pour la construction d'usines de biométhanisation : celles-ci transformeront les déchets organiques en compost et en biocarburants, comme c'est déjà le cas dans certaines municipalités. Les résidents des grandes villes québécoises devraient tous avoir des bacs bruns pour recueillir les déchets de table en 2014[241].

de personnes. Et si l'on plantait des arbres sur les terres aujourd'hui utilisées pour faire pousser des aliments qui seront gaspillés, les GES d'origine humaine seraient théoriquement annulés. Composter ses pommes pourries est une bonne chose, mais cela ne compense pas toute l'énergie perdue sur le chemin qui mène du pommier au frigo.

« Y a des enfants qui meurent de faim. » J'ai toujours trouvé douteux cet argument de ma mère pour me faire finir mon assiette. Si les conséquences environnementales sont évidentes, il est moins facile de déterminer l'effet du gaspillage sur la sous-alimentation. En fait, la surconsommation aurait pour effet de réduire la quantité de grains disponible et créerait de l'inflation, rendant l'accès à la nourriture plus difficile pour les plus pauvres[242]. Puisque toute la nourriture transige sur les mêmes marchés mondiaux, surconsommer dans les pays riches peut signifier qu'on enlève de la nourriture aux plus démunis. Les tonnes de nourriture qui se retrouveront au dépotoir sont autant de calories qui ne seront pas accessibles aux plus pauvres. Pour Tristram Stuart, une diminution de la demande aiderait à stabiliser les prix et améliorerait les conditions de vie de millions de personnes[243]. En théorie, la moitié de la nourriture jetée par les Américains suffirait à nourrir tous ceux qui souffrent de sous-alimentation sur terre, soit près de un milliard de personnes[244].

En pratique, cependant, les choses ne sont pas si simples. Les ressources économisées par l'élimination du gaspillage alimentaire en Occident n'iront pas nécessairement aux plus pauvres. Elles pourraient servir plutôt aux biocarburants ou à l'industrie du textile. La réduction du gaspillage devrait donc aller de pair avec une réduction de la consommation et une meilleure répartition des ressources.

Au point de vue institutionnel, il serait temps de mettre en place des politiques plus volontaristes. Imaginez un instant le gaspillage quotidien dans les hôpitaux ou les écoles. Servir de la meilleure nourriture est une bonne façon de s'assurer qu'elle soit mangée. Mais il existe aussi des moyens mécaniques de réduire le gaspillage ! Des universités américaines qui ont commencé à s'intéresser à la question ont découvert qu'en retirant les plateaux des cafétérias, on réduit la quantité de nourriture gaspillée de 30 %[245]. Sans plateau, il y a moins d'espace pour empiler des aliments qu'on ne va pas consommer.

Il est sans doute plus facile de réduire le gaspillage alimentaire que de modifier son régime ou d'arrêter d'utiliser sa voiture. Même individuellement, on peut diminuer son empreinte écologique et contribuer à atténuer la sous-alimentation. Voici, pour finir, quelques pistes pour moins gaspiller.

Qu'est-ce qu'on fait ?

1. On planifie.

Rien de pire que de faire l'épicerie l'estomac vide ou sans trop savoir ce dont on a besoin. On a alors tendance à surestimer nos besoins. On se laisse tenter par les aubergines en spécial sans savoir ce qu'on va en faire… jusqu'à ce qu'on les retrouve toutes moisies dans le frigo. On fait une liste et on achète ce qu'il faut pour les prochains jours. C'est tout. Il existe d'ailleurs plusieurs applications pour téléphones intelligents qui aident à la gestion de la liste d'épicerie ou du garde-manger et qui permettent d'avoir des recettes sous la main.

2. On garde son frigo en ordre.

Avant d'être jetés, les aliments sont pour la plupart oubliés. On essaie de garder un frigo bien rangé ; avant de faire l'épicerie, on fait l'inventaire et on ramène vers l'avant les aliments qui doivent être consommés rapidement. Une bonne idée aussi est d'imiter les restaurants et d'avoir une liste de nos aliments périssables. Du coup, le chéri qui veut se préparer une collation va penser à utiliser le reste de tofu de la veille, et le pot de yogourt a de meilleures chances d'être terminé avant sa date de péremption.

3. On achète au jour le jour.

L'idéal est d'ailleurs de faire ses courses plusieurs fois par semaine, au besoin. On s'assure ainsi d'avoir toujours des produits frais et bien mûrs (qui seraient peut-être jetés le lendemain par les épiceries si on ne les achetait pas). On optimise aussi l'apport vitaminé de nos fruits et légumes, dont plusieurs sont sensibles au froid et à la lumière. Les épinards perdent par exemple un tiers de leurs vitamines au bout de deux jours au réfrigérateur.

4. On achète directement du producteur.

Jusqu'à la moitié des légumes produits pour les grandes surfaces ne se rendent pas sur les tablettes des épiceries. Ces pertes sont réduites au minimum lorsqu'on achète directement du producteur. Les carottes à deux têtes conservent leurs chances d'être consommées par des humains et il n'y a pas de surproduction.

5. On choisit.

S'il est aussi facile de gaspiller de la nourriture, c'est peut-être parce qu'on n'en mesure pas la valeur. Or, nous associons valeur et prix élevé. Il nous semble plus grave de jeter une cuisse de canard qu'un demi-hamburger. Choisir soigneusement des aliments de qualité et en payer le prix, c'est peut-être la première étape dans une démarche de réduction du gaspillage. De même, on ne doit pas hésiter à adapter ses recettes. Est-ce vraiment nécessaire d'acheter un paquet de six échalotes alors qu'on n'en a besoin que d'une seule ? Le sauté ne sera pas infect si on ne le garnit pas d'échalotes. (En revanche, on peut le garnir de son reste de carottes râpées.)

6. On conserve.

Qui penserait conserver ses fleurs coupées en les laissant sur une tablette ? Il en va de même pour les laitues et les fines herbes. Pour les garder en vie, il suffit de les placer dans l'eau. On peut utiliser des contenants hermétiques pour ses restes de repas. On évite de laisser les fruits et légumes dans leur sac de plastique et on les range dans les tiroirs du frigo (à l'exception des bananes, tous les fruits et légumes se conserveront plus longtemps au frigo qu'à l'air ambiant).

7. On congèle.

La plupart des fruits et légumes, des aliments préparés, des fromages, le tofu et même les pains se congèlent, se conservant ainsi pendant des mois. Si l'on constate qu'on ne va pas souper à la maison de la semaine, on peut congeler la soupe préparée pendant le week-end. Même chose pour le reste de coriandre qui commence à faner. Avant de jeter, congeler !

8. On sert de plus petites portions.
Mieux vaut se servir une seconde fois que laisser une assiette à moitié pleine.

9. On lit les étiquettes.
« Meilleur avant » ne veut pas dire « Pas bon après ». Il faut user de son jugement. « Consommer avant », qu'on retrouve sur des aliments préparés, notamment ceux qui contiennent de la viande, est plus sérieux et doit être respecté. Il faut être prudent avec les produits d'origine animale, mais pour ce qui est des légumes, on ne risque rien à enlever la partie noircie d'une courge avant de la faire cuire.

10. On utilise ses restes.
Le céleri fané et les pelures de carottes peuvent être congelés et utilisés plus tard dans un bouillon. Les restes de fruits font d'excellents jus ou *smoothies*, les tomates ramollies s'utilisent dans des sauces, on fait des croûtons avec le pain rassis, etc. Même chose au restaurant : très rares sont les restos qui compostent, il ne faut donc pas hésiter à demander un *doggy bag*. On peut l'offrir à un sans-abri, le consommer le lendemain à la maison ou le mettre au composteur.

11. On composte.
En dernier recours. Vos plantes vous en remercieront. Le compostage des matières organiques demeure beaucoup plus écologique que leur enfouissement, qui entraîne la production de biogaz polluant.

L'ÉTHIQUE DES ÉTIQUETTES
Santé, végé, bio, équitable et local

Après la théorie, la pratique. Quand on fait des choix alimentaires, on est exposé à une série d'étiquettes censées nous guider. Que voit-on dans les rayons d'épicerie? Beaucoup de promesses de santé, l'assurance que certains produits sont végétariens, qu'un café est issu du commerce équitable, que des aliments sont biologiques ou que des fruits et légumes sont produits localement. Qu'est-ce que ça veut dire, tout ça?

Un régime santé, c'est quoi?

C'est bien beau l'environnement et la compassion, mais pour la plupart d'entre nous, la santé, notre santé, passe en premier. Je ne m'attarderai pas longuement sur ce que devrait être une alimentation santé. On trouve une foule de bons bouquins sur le sujet. Pour résumer ce que devrait être une alimentation saine, j'aime bien citer l'introduction de *Nutrition: mensonges et propagande* (*In Defense of Food*), le livre de Michael Pollan : « Manger de la vraie nourriture. Juste ce qu'il faut. Surtout des végétaux. Telle est, en quelques mots, la réponse à la question, soi-disant complexe et déroutante : que devrions-nous manger, nous les humains, pour être en santé [246] ? »

Comment reconnaît-on de la vraie nourriture ? C'est assez simple. Ce sont les aliments entiers, les aliments qui ne sont pas transformés. Des aliments que votre grand-mère reconnaîtrait et qui ne font pas de promesse de santé sur leur emballage, pour reprendre l'un des conseils de Pollan. Le problème avec les aliments transformés, c'est qu'on ne peut pas savoir ce qu'ils contiennent, ni comment ils ont été produits. Il est beaucoup plus facile de retracer les origines d'une pomme que d'un chausson aux pommes surgelé.

En choisissant des aliments transformés, on laisse à des industriels le soin de décider ce que l'on va manger, des gens dont la logique consiste plus à compresser leur coût de revient qu'à se soucier de notre santé. Pourtant, c'est ce type d'aliment qui constitue l'essentiel des épiceries et de nos garde-manger : pains et collations, pizzas surgelées, croquettes de poulet, soupes en boîte, etc. Normal : personne ne va s'enrichir à vendre des aliments entiers. L'argent se fait dans la transformation. Or, trois ingrédients se retrouvent dans à peu près tous ces aliments transformés : du sucre, du sel et du gras. Des ingrédients de plus en plus associés à des maladies qui nous sont trop familières : cancer, obésité, diabète et maladies coronariennes.

Moins de viande = meilleure santé

L'idée que l'on doive manger de la viande et boire du lait pour être en santé est bien ancrée en nous. C'est pourtant une idée fausse. En effet, réduire sa consommation de viande et de produits laitiers limite l'apport en matières grasses. Moins de matière grasse, ça veut aussi dire mois de cholestérol, lequel constitue

LE SIROP DE MAÏS, SOUS-PRODUIT DE L'ÉLEVAGE INDUSTRIEL

Élever des cochons produit du lisier. Lorsqu'on épand le lisier sur les terres, celles-ci deviennent rapidement saturées en phosphore et en azote. Et quelle plante raffole du phosphore ? Le maïs. La culture du maïs en si grande quantité est donc directement liée à l'élevage porcin. Aussi, qui dit beaucoup de maïs dit maïs pas cher. L'abondance de maïs sur le marché a amené l'industrie à le transformer en sucre. On prend du sirop de maïs auquel on ajoute des enzymes pour produire du sirop de glucose-fructose. Le sirop de glucose-fructose coûte beaucoup moins cher à produire que le sucre de canne ou de betterave. Il est aussi deux fois plus sucrant. C'est lui qu'on trouve aujourd'hui un peu partout dans nos aliments transformés : biscuits, gâteaux, sodas, yogourt. Et le plus merveilleux avec le sirop de glucose-fructose, c'est qu'on peut en consommer à l'infini sans jamais éprouver de mal de cœur.

un important facteur de risque des maladies cardiovasculaires[247]. La viande rouge est également associée à certains cancers, comme ceux du sein, de la prostate, des reins, du pancréas ou du colon (dans ce dernier cas, ce sont plutôt les viandes transformées comme les charcuteries qui sont en cause[248]). Enfin, diminuer sa consommation de viande aurait pour conséquence un risque plus faible de diabète de type 2[249].

Ce qui adonne bien ! Les règles d'or d'une alimentation santé sont aussi celles qui nous guident vers des choix éthiques qui sont justes pour la planète, les animaux et les autres humains.

J'ai beaucoup parlé de végétarisme sans vraiment le définir. C'était volontaire : j'ai des réserves à propos des étiquettes végé et de ce qu'elles signifient d'inclusion autant que d'exclusion. Si l'on prend en compte la souffrance animale et les répercussions sur l'environnement, une diète végétalienne, c'est-à-dire sans aucun produit d'origine animale, est de loin préférable à toutes les variations carnées. En même temps, tous les efforts faits pour réduire sa consommation de produits d'origine animale sont louables et constituent un pas dans la bonne direction. Or, comme le faisait remarquer Josée Blanchette dans un billet : « Les restaurateurs (du moins, ceux du Québec) semblent convaincus qu'un végétarien mange de la morue et des crevettes (voire du poulet de grain) quand sa conscience flexible le permet. Et si ce n'est pas le cas, vous avez droit à un regard navré, ou au mieux indifférent, qui semble indiquer que vous auriez dû aller brouter dans une cafétéria de votre secte[250]. » Quelques définitions s'imposent !

On peut distinguer ainsi les différentes diètes possibles.

Type d'élevage	Œufs	Produits laitiers	Poisson	Volaille	Viande
Omnivores	Oui	Oui	Oui	Oui	Oui
Pesco-végétarien	Oui	Oui	Oui	Non	Non
Pollo-végétarien	Oui	Oui	Non	Oui	Non
Ovo-lacto-végétarien	Oui	Oui	Non	Non	Non
Végétalien	Non	Non	Non	Non	Non

En règle générale, lorsque quelqu'un se dit végétarien, c'est qu'il est ovo-lacto-végétarien (il mange
des œufs et des produits laitiers). Mais toutes les
combinaisons sont évidemment possibles et on peut
imaginer un pesco-pollo-lacto-végétarien (signature qu'on n'ajoutera peut-être pas sur sa carte de
visite). On utilise souvent indifféremment végétalien
et végan. Mais si l'on s'en tient aux définitions courantes, «végétalien» ne s'applique qu'au régime alimentaire alors que «végan» est plus englobant. Une
personne végane essaie d'éliminer de sa vie tout ce
qui implique l'exploitation animale, comme la laine,
la fourrure, le cuir ou les produits de maquillage testés
sur les animaux. Du point de vue éthique, c'est probablement la position la plus cohérente : pourquoi
acheter un blouson en cuir si vous vous dites contre
la souffrance animale ? Les crudivores, enfin, sont des
végétaliens qui ne consomment que des aliments crus
(leur motivation n'est pas directement éthique).

Les végétariens à temps partiel

Plus récemment, on a vu apparaître le terme «flexitarien» (le mot de l'année en 2003 pour l'American
Dialect Society). Il désigne un végétarien qui mange
de la viande à l'occasion. C'est par exemple le cas du
célèbre (et très drôle) chroniqueur américain Mark
Bittman. Lorsqu'il était critique gastronomique au
New York Times, il s'était donné pour règle d'être
strictement végétalien jusqu'à 17 heures, après quoi…
il allait au restaurant et s'y permettait de manger de
la viande ! Cela dit, le «flexitarisme» est une notion
assez vague. Un végétarien qui mange de la dinde à
Noël est-il flexitarien ? Probablement pas. Et un omnivore qui suit les «lundis sans viande» ? Peut-être.

Les flexitariens sont parfois des végétaliens en
devenir qui éliminent lentement les produits animaux
de leur alimentation. Mais quelqu'un qui modifie sa

diète pour des raisons purement environnementales (voir le chapitre 8) sera aussi un bon candidat au flexitarisme. On peut être écolo et continuer de prendre sa voiture de temps en temps. En revanche, du point de vue des justifications morales, il paraît plus difficile de s'opposer à la souffrance animale tout en continuant à faire souffrir « un peu » les animaux.

Les omnivores sélectifs

Comme les flexitariens, les omnivores sélectifs ont la plupart du temps choisi de réduire leur consommation de viande. Mais lorsqu'ils en mangent, ils optent pour de la viande bio ou *humane*. Ces omnivores consciencieux sont à la recherche de « petits producteurs » qui font les choses différemment et « sans souffrance ». L'idée, c'est que d'acheter de la viande bien élevée constitue une incitation à améliorer les conditions d'élevage.

Le problème, c'est qu'aujourd'hui au Québec la viande dite « éthique » est davantage une promesse qu'une réalité. Je n'ai pas encore visité d'élevage parfait, sans souffrance. Les animaux y sont avant tout exploités pour leur chair : leur bien-être n'est donc jamais le premier facteur pris en compte. Du point de vue génétique, ce sont les mêmes animaux que dans l'industrie : les dindes sont incapables de se reproduire elles-mêmes, les poulets souffrent des mêmes problèmes d'ossature que leurs congénères industriels. Les vaches qui ont produit du lait bio traverseront la province pour être, elles aussi, abattues comme « vache de réforme » (voir le chapitre 2), etc. De plus, les traitements variant énormément d'une ferme à l'autre, il est difficile de savoir dans quelles conditions a été élevé le demi-poulet qu'on trouve congelé dans le comptoir de son petit producteur.

Il me semble beaucoup plus commode d'être un végétarien « par défaut » qu'un omnivore (véritablement) consciencieux. Lorsqu'on est invité à manger chez des amis, il est facile d'expliquer qu'on ne mange ni viande ni poisson. Au restaurant, dans les avions, on offre partout des plats végétariens. Il est en revanche beaucoup plus compliqué d'expliquer qu'on ne mange que de la viande élevée « humainement » et sans souffrance et d'exiger de ses hôtes qu'ils aillent visiter leur éleveur avant d'acheter un gigot !

Sans animaux dans son alimentation, qu'est-ce qu'il faut surveiller ?

Une alimentation végé est tout à fait compatible avec une bonne santé. L'American Dietetic Association (le plus important regroupement de professionnels de la nutrition au monde) soutient qu'« une diète végétarienne ou végétalienne est saine, complète et peut offrir des bénéfices dans la prévention et le traitement de certaines maladies[251] ». L'association soutient également qu'une diète végé est appropriée pour tous, même les bébés, les enfants et les femmes enceintes ou allaitantes.

Les protéines

La première question qui vient lorsqu'on parle de végétarisme est souvent celle des protéines. On entend des arguments du genre : « Si je ne mange que des légumes, je vais manquer d'énergie » ; « Je fais du sport, j'ai besoin de viande » ; « Quand je mange végé, j'ai faim deux heures plus tard ! »

Une protéine, c'est une protéine, et la plupart des protéines végétales sont aussi nourrissantes que les protéines animales. De nombreux athlètes professionnels, comme le triathlète Brendan Brazier et l'ex-hockeyeur Georges Laraque, sont végétaliens. On recommande en général de consommer entre 0,7 et 1 gramme de protéine par kilo de masse corporelle par jour. Voici la comparaison de teneur en protéines de différents aliments, d'origine animale ou végétale.

Apport en protéines par type d'aliment

Aliment	Protéines
Big Mac	24 g
BK Veggie Burger (sans fromage)	23 g
100 g de saumon	20 g
une tasse de lentilles	19 g
85 g de jambon	18 g
une tasse de pois chiches	16 g
une tranche de fromage cheddar (60 g)	15 g
une poitrine de poulet (90 g)	10 g
140 g de tofu	10 g
un œuf cuit dur	10 g
30 amandes	8 g
une tasse de lait (de vache, de soya, de riz ou d'amandes enrichi)	8-9 g
2 cuillerées à soupe de beurre d'arachide	7 g
1 tranche de pain (50 g)	5 g

La seule différence entre les protéines animales et les protéines végétales, c'est que ces dernières ne contiennent pas l'ensemble des huit acides aminés essentiels : il est donc important de combiner les protéines de différents végétaux. Il n'est cependant pas nécessaire d'assurer la complémentarité des protéines végétales à l'intérieur de chaque repas ou de chaque mets, même si c'est souvent meilleur au goût ! Cela dit, de nombreux plats végétariens combinent naturellement leurs aliments protéiques. En voici des exemples.

Combinaisons	Exemples[252]
Légumineuses + produit céréalier	Pois chiches et couscous
	Chili végétarien et pain
	Haricots et tortilla de maïs
Légumineuses + noix ou graines	Lentilles et noix
	Hummus composé de purée de pois chiches et de beurre de sésame

Une exception notable est le soya (et donc le tofu) : il possède à lui seul tous les acides aminés essentiels.

Les carences
Un autre commentaire souvent entendu lorsqu'on explique qu'on est végé : « Mais il doit bien te manquer quelque chose. » Quelqu'un qui mange des produits d'origine animale à l'occasion n'a pas vraiment à se soucier de ses carences. Un végétalien strict peut quant à lui être en parfaite santé et avoir une diète équilibrée s'il fait attention aux quelques éléments suivants.

B_{12}   La vitamine B_{12} est la seule qu'on ne trouve pas naturellement dans les végétaux. On en trouve par contre dans plusieurs aliments enrichis et dans la levure alimentaire.

Fer   On trouve du fer dans la plupart des légumineuses, dans le tofu et les graines de citrouilles. Pour en favoriser l'absorption, il faut le consommer avec un aliment riche en vitamine C.

Zinc   Pour ne pas manquer de zinc, on peut manger des germes de blé, des graines de sésame, des légumineuses, des champignons shiitake.

Vitamine D   L'été, pas de problème, on obtient la vitamine D de la lumière du soleil. L'hiver, la plupart des habitants des pays nordiques (et pas seulement les végétaliens) ont des déficiences en vitamine D. On peut consommer des boissons enrichies ou simplement prendre des suppléments.

Calcium   On trouve le calcium dans les boissons enrichies, le tofu, le chou, le brocoli, les amandes.

Acides gras oméga-3   On trouve des oméga-3 de source végétale dans les graines de lin, de chanvre, le chia et les noix de Grenoble. Pour que l'organisme les convertisse en oméga-3 à longue chaîne ADH (acide docosahexaénoïque) et AEP (acide eicosapentaénoïque) comme ceux que l'on trouve dans le poisson, il convient toutefois d'avoir une alimentation équilibrée, d'éviter les gras trans et les excès de gras saturés et d'oméga-6[253].

On se rappellera que les coquillages, comme les moules ou les huîtres, ne souffrent pas (voir le chapitre 4) et font partie de la liste verte de SeaChoice (voir le chapitre 6). Non seulement ils constituent une excellente source d'oméga-3, mais ils apportent aussi quantité de nutriments comme le fer, le zinc ou la vitamine B_{12}. Par exemple, huit huîtres fournissent à une femme tous ses besoins quotidiens en fer et quarante fois ses besoins en B_{12}. Les mollusques constituent donc, de ce point de vue, le complément parfait à une diète végé. Faibles en gras, les coquillages sont aussi une très bonne source de la plupart des minéraux essentiels.

Le terme « bio » est devenu un mot fourre-tout synonyme de produits sains et de meilleure qualité. Qu'est-ce qu'on entend vraiment par « bio » ?

Si j'avais demandé à mon grand-père ce qu'était une tomate biologique, il m'aurait sans doute regardée avec de grands yeux. Il aurait lentement éloigné sa pipe de son visage pour se donner un temps de réflexion, puis expiré un peu de fumée avant de me répondre qu'une tomate biologique était sans doute une tomate ordinaire. J'aurais eu du mal à lui expliquer que je paie un peu plus cher pour que mes tomates soient bio. Il est vrai que, par définition, à peu près tous nos aliments, à l'exception du sel, sont des matières vivantes, biologiques.

On a commencé à parler d'agriculture biologique dans les années 1940, avec l'arrivée des engrais chimiques, pour distinguer les intrants organiques des intrants inorganiques (de synthèse). On parlait alors de méthodes biologiques et non pas de productions biologiques. Au fil des années, la conception de l'agriculture bio s'est élargie. De nos jours, la Fédération internationale des mouvements d'agriculture biologique propose la définition suivante :

L'agriculture biologique englobe tous les systèmes d'agriculture qui font la promotion d'une production d'aliments ou de fibres environnementalement, socialement et économiquement saine. Ces systèmes s'attachent à considérer la fertilité du sol comme la clé d'une bonne production. En respectant les besoins et les exigences des plantes, des animaux et du paysage, ils visent à améliorer la qualité de l'agriculture et de l'environnement, dans tous leurs aspects. L'agriculture biologique réduit considérablement les intrants en se refusant à utiliser des produits chimiques de synthèse : engrais, pesticides et produits pharmaceutiques. Au contraire, elle permet aux puissantes lois de la nature d'améliorer à la fois les rendements et la résistance aux maladies[254].

Jusque dans les années 1990, tous les producteurs qui estimaient que leurs produits répondaient à cette philosophie pouvaient étiqueter leurs produits comme biologiques. Inutile de dire qu'il y avait de la confusion sur les étalages. Les gouvernements ont donc ressenti la nécessité d'établir des standards. Aujourd'hui, pour qu'un aliment soit considéré comme bio, il faut que sa production ait été certifiée. Le producteur doit se soumettre à un long processus formel auprès de l'organisme certificateur, qui s'assure que les méthodes de production de l'exploitation agricole sont conformes à l'ensemble des normes biologiques prescrites, qui proscrivent notamment l'usage de pesticides chimiques et d'OGM.

Au Canada, il existe une trentaine d'organismes certificateurs, comme Québec Vrai ou Ecocert. Pour le producteur, la transition vers l'agriculture biologique est souvent longue et onéreuse ; les droits annuels actuels pour une certification peuvent s'élever jusqu'à plus de 1 000 dollars et le cahier des charges à remplir pour conserver sa certification exige la plus grande transparence. En revanche, les mentions « sans pesticides », « biodynamique », « élevé en liberté » ou « naturel » ne font l'objet d'aucune certification – elles ne veulent strictement rien dire d'un point de vue légal.

Même l'appellation biologique n'est pas la certitude que les cahiers des charges ont été respectés. Dans un rapport publié à l'été 2011[255], la Fondation du Barreau rappelait que le système n'est pas sans faille. En effet, le Conseil des appellations autorisées et des termes valorisants (CARTV), censé effectuer au Québec les contrôles permettant d'empêcher l'utili-

Je mange avec ma tête

sation illégale de l'appellation « biologique », a bien peu de moyens (seulement deux employés en 2010 !). De plus, si un produit provient de l'extérieur du pays, il n'a pas à être certifié par un organisme reconnu du gouvernement, ce qui peut entraîner des abus et ouvrir la porte aux représentations trompeuses, sans possibilité de sanctions.

Cela dit, nombreux sont les agriculteurs dont les standards de production dépassent ceux des normes biologiques mais qui ne souhaitent pas entreprendre les démarches de certification. Un produit qui n'a pas d'étiquette biologique n'est donc pas nécessairement issu de l'élevage industriel ni plein de pesticides. Justement, Robert Eden, un viticulteur du Languedoc, en France, propose de mettre fin à la certification bio pour faire porter l'odieux de l'agriculture chimique aux producteurs qui devraient estampiller leurs produits comme « non naturels[256] ». En effet, il est un peu étrange que les producteurs bio aient besoin de payer pour prouver qu'ils ne polluent pas, alors que les conventionnels n'ont rien à déclarer.

Quelques chiffres

Bien que les aliments certifiés biologiques comptent pour moins de 1 % des dépenses d'épicerie des Canadiens, le volume de leurs ventes connaît une croissance fulgurante : une hausse de 28 % entre 2005 et 2006. Il s'agit du segment de marché à la plus forte croissance. On achète surtout des légumes frais (25 % des ventes), des boissons autres que le lait (18 %), des fruits frais (13 %) et des produits laitiers (11 %[257]). Quant aux ventes de viande biologique, elles sont marginales puisqu'elles représentent moins de 1 % du panier bio[258]. Pendant ce temps, en Suisse, c'est 18 % des aliments vendus qui sont biologiques, et la croissance continue, soutenue en grande partie par l'État[259].

Lorsqu'on demande aux consommateurs pourquoi ils n'achètent pas davantage de produits biologiques, plusieurs mentionnent leur prix plus élevé. Les méthodes de production du bio expliquent en partie ce surcoût. Mais on peut se demander si l'ampleur de l'écart est toujours justifiée. Une banane bio ne coûte que 0,15 dollar de plus que sa cousine conventionnelle, mais les œufs bio coûtent près de 3 dollars de plus la douzaine, le double des œufs conventionnels[260]. Les commerçants sembleraient profiter de la forte demande du bio pour accroître leurs profits.

Le journal français *Le Monde* a publié les résultats d'une enquête sur le sujet. On y apprend que la marge brute d'un kilo de pommes conventionnelles serait de 0,50 euro tandis qu'elle grimperait à 1,09 euro pour des pommes biologiques[261]. Chez nous, la situation du lait bio est assez révoltante. Un producteur de lait conventionnel reçoit 0,71 dollar le litre tandis que celui qui produit du lait certifié biologique se voit ajouter une prime de 0,17 dollar le litre. À l'épicerie, le consommateur payera :

– un litre de lait 2 % conventionnel à 1,62 dollar, soit 0,91 dollar de plus que ce qui est versé au producteur.

– un litre de lait 2 % bio à 3,29 dollars, soit 2,41 dollars de plus que ce qui est versé au producteur.

Lorsqu'on achète un litre de lait bio, c'est donc l'épicerie qu'on soutient, et non pas le producteur[262]. Les marchands ont bien compris que le bio permettrait d'augmenter la facture moyenne d'une clientèle aisée qui ne regarde pas à la dépense. En France, les associations de consommateurs font pression pour plus de transparence et d'équité dans les prix. À quand ces moyens de pression chez nous ?

RECONNAÎTRE LES FRUITS ET LÉGUMES BIO OU OGM

Si les fruits et légumes sont étiquetés, on peut reconnaître ceux qui sont bio ou encore la présence des OGM en consultant le petit autocollant sur lequel est inscrit un code à quatre ou cinq chiffres. Ce code chiffré dit «code PLU» permet d'indiquer le prix d'un fruit ou d'un légume. Mais en plus du prix, ce «code» nous informe sur le type de production. Les fruits et légumes cultivés de façon conventionnelle ont un code à quatre chiffres: XXXX. Les produits biologiques ont un code à cinq chiffres dont le premier est 9: 9XXXX. Les produits transgéniques ont également un code à cinq chiffres, le premier chiffre étant 8: 8XXXX.

LE COMMERCE ÉQUITABLE: JUSTICE ENVERS LES TRAVAILLEURS

Le commerce équitable est devenu, au cours des années 1990, le premier symbole d'alimentation éthique. Pour la plupart d'entre nous, acheter du café équitable veut dire payer un prix juste aux producteurs en évitant les multinationales qui empochent des profits excessifs.

L'idée d'une labellisation des produits équitables est née à la fin des années 1980, dans une coopérative de producteurs de café du Chiapas, au Mexique. On a alors pensé lancer une marque de café qui offrirait un juste retour aux producteurs alors que le prix du café s'effondrait. La certification allait permettre de distribuer le café équitable dans les pays riches tout en garantissant au producteur comme à l'acheteur final le respect de certaines normes éthiques. Nico Roozen, de l'association Solidaridad, et le prêtre-ouvrier hollandais Frans van der Hoff ont permis à l'idée de se concrétiser, et le mouvement a rapidement pris de l'ampleur. Le café équitable est maintenant offert un peu partout et compte pour environ 2 % des importations de café aux États-Unis[263]. Si les deux tiers des importations de produits équitables sont du café, on peut aussi maintenant trouver du chocolat, des fruits (bananes, oranges, avocats, mangues, pommes, raisins, poires et prunes), du riz, du quinoa, des noix, des huiles, du sucre, du thé, du vin et même des fleurs et des ballons.

Pour être certifié équitable selon la Fairtrade Labelling Organizations International (FLO), un produit doit répondre à un certain nombre de critères. La certification n'est donnée qu'à de petits producteurs regroupés en coopérative ou dans une association qui favorise la participation démocratique. Les employés doivent également être payés un salaire décent, travailler dans des conditions sécuritaires et avoir le droit de se syndiquer. Aucun enfant ne peut être embauché. De leur côté, les intermédiaires qui veulent revendre des produits équitables doivent s'assurer de payer au producteur un prix qui couvre les frais d'une culture durable et permet d'investir dans le développement de la production. Ils financent ainsi des programmes de développement communautaire.

Pour les producteurs, le plus grand avantage demeure qu'ils savent d'avance combien ils vont recevoir, peu importe le prix du marché. Dans le cas du café, les producteurs ont la garantie de vendre leur récolte au prix plancher de 1,25 dollar US la livre ou au prix du marché si celui-ci est plus élevé. (Le prix régulier du café s'élevait à environ 2,27 dollars US la livre en mai 2011). Un supplément de 0,20 dollar la livre est également offert au café bio ; les acheteurs

Je mange avec ma tête

doivent signer des contrats à long terme et offrir des paiements en avance si les producteurs en ont besoin.

Bref, acheter équitable semble la meilleure chose à faire, d'autant qu'un café équitable coûte à peine quelques sous de plus la tasse. Mais les critiques se révèlent nombreuses. Le commerce équitable enchaînerait les producteurs dans les cultures qui ne leur permettraient jamais de sortir de la pauvreté. Dans *Bottom Billions*, Paul Collier, professeur d'économie à l'Université d'Oxford, soutient que ce commerce réduit les incitatifs à diversifier les productions et encourage l'utilisation des sols dans des productions qui ne sont pas optimales. Il faudrait plutôt encourager les producteurs à abandonner le café pour des cultures plus rentables en leur donnant les moyens de se développer. Collier souligne aussi que le commerce équitable s'est bâti autour d'une image prétendument romantique de la ruralité et des petites fermes où les techniques modernes comme la mécanisation, les économies d'échelle, l'usage de pesticides ou les modifications génétiques sont découragées. Pourtant, ce sont là les technologies qui ont permis (et permettent toujours) aux pays riches de s'enrichir[264].

On peut également contester la structure économique de l'équitable : 95 % du prix d'une barre de chocolat équitable va aux pays (riches) qui la commercialisent[265]. Les pays en voie de développement restent pris dans le secteur primaire tandis que la plus-value de la transformation (et la majorité de la prime payée par les consommateurs pour acheter équitable) demeure chez les nantis. En outre, il se pourrait que le fait de garantir un prix minimum ait pour effet pervers d'encourager la surproduction, et d'entraîner le prix du café vers le bas. Les producteurs seraient encore plus dépendants du commerce équitable et ceux qui ne produisent pas équitablement s'en retrouveraient appauvris.

Le commerce équitable n'est certainement pas la solution à tous les maux. Est-ce là une raison de l'abandonner? Je ne crois pas. Même s'il peut être perçu comme un simple pansement sur le problème de la volatilité des prix des matières premières, ou encore comme une solution à court terme pour sortir les nations productrices de la pauvreté[266], il contribue tout de même à l'amélioration des conditions de travail des fermiers.

UNE CERTIFICATION POUR LES BONNES ENTREPRISES

Conçue à la fin des années 1990, la norme Social Accountability 8000 (SA8000) met l'accent sur les droits des travailleurs. Pour obtenir cette certification, les entreprises doivent réussir un audit sur neuf points: le travail des enfants, le travail forcé, la santé et la sécurité, le droit de s'associer, de se syndiquer, la discrimination, la discipline, les heures de travail, le salaire et le management. La première entreprise agricole à atteindre la certification SA8000 a été Chiquita, un important producteur de bananes en Amérique latine. Comme les évaluateurs ont trouvé quelques secteurs où Chiquita ne répondait pas à tous les critères de certification (par exemple, en ce qui a trait aux heures de travail), l'entreprise a mis en place un site web où l'on peut suivre la progression de ses efforts par plantation pour améliorer chacun de ces critères[267]. On a là un bel exemple de responsabilité sociale et de transparence. Même si elles ne sont pas encore certifiées équitables, on peut être assuré que les bananes Chiquita ont été produites dans de bonnes conditions.

Comme l'explique Peter Singer, ce n'est pas parce qu'une proposition ne peut pas résoudre un gros problème qu'elle ne fait pas de bien du tout[268]. Mais comme cette proposition constitue une solution à court terme, il faut penser à d'autres moyens : par exemple, faire pression sur les supermarchés pour qu'ils haussent les critères chez leurs fournisseurs ou investir dans des projets de transformation dans le Sud afin qu'une partie de la plus-value demeure sur place.

Les conditions de travail chez nous

Il n'y a pas qu'en Amérique latine ou en Asie que les travailleurs sont exploités. On a beaucoup parlé ces dernières années des travailleurs saisonniers qui viennent du Mexique et du Guatemala travailler dans les champs québécois. Leurs conditions de travail se sont nettement améliorées depuis quelques années : leur droit de se syndiquer, par exemple, a été reconnu[269]. Il n'en demeure pas moins qu'il s'agit de conditions de travail difficiles : le seul fait qu'on doive importer de la main-d'œuvre dans des régions où le taux de chômage frôle les 10 % en est la preuve flagrante.

À l'automne 2010, l'émission *Enquête* de Radio-Canada dévoilait que l'industrie de la transformation alimentaire était largement dépendante du travail au noir d'employés temporaires payés sous le salaire minimum et n'ayant droit à aucune protection sociale[270]. Ces travailleurs, dont la plupart ne parlent ni français ni anglais, connaissent mal leurs droits et constituent donc un *cheap labor* facile.

Mais des cas d'abus plus graves encore existent. Au cours des dix dernières années, les juges floridiens ont prononcé sept condamnations pour esclavage impliquant des employés agricoles[271]. Dans des plantations de tomates en Floride, des travailleurs ont été littéralement traités en esclaves, travaillant douze heures par jour, six jours sur sept, pour aussi peu que 20 dollars par semaine. Certains furent battus après s'être arrêtés de travailler quelques instants pour boire de l'eau[272]. D'anciens travailleurs se sont regroupés sous la Coalition of Immokalee Workers pour sensibiliser la population à leur cause, et un boycott de Taco Bell, une chaîne de fast-food qui achetait de ces tomates, a été organisé. Après quelques années, la compagnie Yum (à laquelle appartient Taco Bell) s'est engagée à payer davantage pour ses tomates si la différence était versée aux cueilleurs[273]. En octobre 2010, le plus gros producteur de la région est devenu équitable[274].

Pour ces quelques travailleurs qui ont été capables de se regrouper et de faire bouger les choses, combien d'immigrants illégaux n'osent dire un mot? Combien continuent d'être traités en esclaves pour nous procurer des fruits et légumes à bon marché? Et même s'ils ne sont pas traités en esclaves, il faut se rappeler qu'ici comme ailleurs de nombreux travailleurs sont exposés à des quantités dangereuses de pesticides.

Les achats locaux et de saison

Les fruits et légumes rythment nos vies et marquent les saisons. Consommer des produits de saison semble une question de bon sens. L'été, j'ai envie de salades, de petits fruits et de gaspacho pour me rafraîchir. Au mois de janvier, je sais qu'une casserole de légumes racines va m'apporter chaleur et réconfort. Mais depuis que les épiceries nous offrent de tout à l'année longue, on semble avoir oublié que les asperges poussent au printemps, les fraises en été et les pommes en automne. On s'est habitué au goût cartonné des fruits et légumes importés d'Amérique du Sud. Revenir vers des produits locaux et de saison semble aller de soi lorsqu'on commence à s'intéresser à son alimentation.

Né au milieu des années 2000 en Californie, le mouvement locavore encourage les consommateurs à acheter des produits frais et de saison chez des agriculteurs locaux, et produits théoriquement dans un rayon de 250 km des points de vente. La popularité croissante des marchés fermiers s'inscrit dans cette tendance. Et c'est aussi le cas des paniers bio (ou ASC, pour « agriculture soutenue par la communauté ») comme ceux d'Équiterre, où les « partenaires » reçoivent chaque semaine des produits frais sélectionnés par un petit producteur.

En général, les arguments éthiques invoqués par les locavores sont le soutien à l'économie locale et la protection de l'environnement. Est-ce justifié ? Soutenir l'économie locale n'est pas une mauvaise chose. Et pour avoir visité plusieurs fermes, je peux témoigner que nos fermiers ne sont pas riches. Mais de là à en faire une raison morale… Du point de vue de l'équité, du point de vue d'une juste répartition des richesses, je ne vois pas pourquoi il serait nécessairement plus juste de soutenir l'économie locale que celle d'une autre région du monde.

Il se pourrait bien que ce soit d'ailleurs plutôt le contraire qui soit juste. Acheter à un fermier d'un pays en voie de développement aura souvent de meilleures conséquences qu'acheter chez nous. Même s'il n'y a qu'un infime pourcentage de notre argent qui retourne aux paysans africains ou sud-américains, ce petit montant peut faire la différence entre vivre et survivre. « Garder son argent dans la communauté » n'est donc pas nécessairement éthique : tout dépend de votre communauté ! Comme le souligne Peter Singer, adhérer au principe de l'achat local peut avoir quelque chose d'égoïste[275]. Il n'y a rien de mal à développer des relations et à soutenir les fermiers locaux, mais notre compassion ne doit pas s'arrêter à 250 km de chez nous.

Quant à l'aspect environnemental, comme on l'a vu au chapitre 7, le transport ne compte que pour une petite partie des émissions liées à l'alimentation (11 %). Un écologiste devrait être crudivore (on se rappelle que la cuisson produit des GES), végétalien et même éviter les aliments transformés avant d'invoquer les émisions de gaz carbonique liées au transport pour justifier un régime locavore. Surtout s'il se rend au marché fermier en auto !

Dans *Just Food: Where Locavores Get It Wrong And How We Can Eat Responsibly* [276], James E. McWilliams affirme d'emblée que manger local n'est pas une solution durable à la production de nourriture à une échelle mondiale. L'idée sous-jacente au mouvement locavore est que l'agriculture industrielle a ébranlé la production à petite échelle et qu'en « relocalisant » le système, on le remettra tel qu'il était. Mais le monde n'est plus ce qu'il était dans les années 1930, et on ne doit pas rejeter en bloc les progrès qui ont été faits au XXe siècle (voir le chapitre 7). Je pense, comme McWilliams, qu'il y aurait d'autres possibilités que d'acheter local pour nourrir la planète de façon durable, un juste milieu entre l'agriculture industrielle polluante et les petits producteurs.

Je suis néanmoins très heureuse de mes paniers bio (et locaux). J'ai visité la ferme, je sais dans quelles conditions ces fruits et légumes ont été produits. Les paniers de Ian et Julie sont bons pour ma santé, cultivés avec amour, et me permettent de découvrir de nouveaux produits. Ils m'aident aussi à mieux comprendre la réalité des producteurs : trop de pluie, pas assez de pluie, trop de soleil, pas assez de soleil, récoltes perdues, rendement moindre que prévu. Voilà autant de raisons de continuer à les encourager. Il ne s'agit pas là d'arguments éthiques, mais on n'en a pas forcément besoin pour se laisser aller à croquer dans une carotte fraîchement cueillie.

10

MANGER AVEC SA BOUCHE

Confessions d'une ex-omnivore

Voilà maintenant près de deux ans que j'alimente mon blogue. Au cours des derniers mois, j'ai redoublé d'efforts pour écrire cet ouvrage. Mon vocabulaire anglais en agriculture et en nourriture s'est pas mal étendu : je sais maintenant ce qu'est un *boar* (un sanglier) et que *husbandry* (élevage) ne rime pas avec mariage. Mon exemplaire de *The Ethics of What We Eat* est dans un état qui fait peine à voir tant les pages en sont bariolées et écornées. Mais une chose est certaine : il n'ira jamais au recyclage – d'autant plus que je l'ai depuis fait dédicacer par Peter Singer !

Au cours de ces mois d'écriture, j'ai aussi rencontré des personnes formidables qui ont généreusement partagé leur savoir et leur expérience avec moi. J'ai accumulé une quantité d'informations dont ce livre ne rend compte qu'imparfaitement. Mon intérêt pour l'éthique et l'alimentation n'a jamais faibli. J'ai creusé des thèmes qui m'étaient chers et découvert de nouvelles questions passionnantes. Sans me vanter, je peux dire que j'ai fait un bon bout de chemin. Pourtant, ma conviction initiale, celle qui a germé lorsque j'attendais mon ami dans un café de la rue Ontario, celle qui m'a poussée à me lancer dans l'aventure de mon blogue, cette conviction est restée intacte. Vraiment, quelque chose ne va pas avec notre manière de traiter les animaux.

Des valeurs partagées

Lorsque je fais mon épicerie, j'aime bien jeter un coup d'œil aux paniers des gens à la caisse. En observant leurs achats, j'essaie d'imaginer qui ils sont : célibataire qui stocke des munitions pour le match de hockey, mère de famille qui a des lunchs à préparer, jeune couple qui invite des amis à souper ? Si je parvenais à vaincre ma timidité, je pourrais entamer une conversation pour valider mes hypothèses. Et, pourquoi pas, les interroger sur leurs valeurs morales. Je suis certaine que nous nous entendrions sur de nombreux grands principes : préserver l'environnement, protéger les espèces menacées, traiter les animaux avec respect, combattre la faim dans le monde, témoigner de l'empathie envers les êtres sensibles.

Sauf que, la plupart du temps, le contenu de nos paniers ne reflète pas ces valeurs. Lorsqu'on achète un paquet de viande hachée, du poisson d'une espèce menacée, un ananas du Costa Rica, lorsqu'on boit du café non équitable ou qu'on oublie une laitue dans le frigo, on fait passer notre plaisir gustatif ou notre nonchalance avant nos valeurs. Certains prétexteront qu'ils ne savent pas – après tout, l'industrie agroalimentaire s'est construite derrière des portes closes en nous montrant des images rassurantes de campagnes verdoyantes. Mais plusieurs en savent un peu ou savent à moitié. Et d'autres préfèrent ne pas savoir.

Je ne peux pas leur jeter la pierre. Après tout, il n'y a pas si longtemps, moi aussi, j'étais dans la file, un poulet rôti et du poisson en spécial dans mon panier. On l'oublie souvent, mais tout végétarien est un ancien omnivore, ou presque. J'ai simplement eu la chance, à un moment de ma vie, d'être assez disponible pour ajuster ma pratique à mes valeurs. Certains y verraient peut-être une grande preuve de courage, mais la vérité, c'est que le geste d'arrêter la viande a été beaucoup plus facile à poser que je ne l'avais imaginé.

Ma vie sans viande

Je n'ai pas un tempérament de radicale : je me couche rarement après 23 heures et j'ai du Joe Dassin sur mon iPod comme bien des gens. Je me sens plus à l'aise dans le compromis que dans les positions tranchées. Et je dois avouer qu'arrêter la viande me semblait une décision bien draconienne. Mais la radicalité est une notion très relative. Mes raisons, elles, étaient solides.

Les premiers jours de ma nouvelle résolution se sont passés sans trop de remous. J'ai testé des fausses viandes et je me suis tournée vers des recettes indiennes. Dans la rue, l'odeur du poulet rôti me faisait encore saliver mais, au bout d'environ trois semaines, j'avais pratiquement perdu le « goût de la viande ». Aujourd'hui encore, il m'arrive parfois de ressentir un *craving* (méchant cerveau !). Mais de plus en plus, la vue d'une boulette de viande ou d'un litre de lait m'inspire surtout du dégoût (gentil cerveau !).

J'y suis allée à mon rythme, en coupant d'abord la viande, puis le poisson, avant de passer aux œufs et aux produits laitiers. Comme je ne suis pas parfaite, il m'arrive encore de consommer du fromage ou du beurre quand je vais au restaurant. Mais contrairement à ce que l'on pourrait croire, ma vie culinaire ne s'en est pas trouvée appauvrie. J'ai plutôt découvert plein de nouvelles saveurs. Dans le domaine gastronomique, les contraintes sont souvent une bonne chose. Si l'on veut sortir des pâtes, des fausses viandes et du tofu, on n'a pas le choix que de *vraiment* cuisiner. Il existe d'excellents livres de cuisine végé et Google demeure l'ami fidèle des néophytes. Au bout du compte, je peux dire sans crainte de me tromper que je mange beaucoup mieux qu'avant.

Je ne me prive pas non plus de sortir au resto. En me questionnant sur l'aspect éthique de ma nourriture, j'ai aussi commencé à m'intéresser de plus près aux joies que me procure mon assiette : j'ai un plaisir fou à découvrir de nouvelles tables, à me laisser surprendre par les chefs québécois. D'ailleurs, le « plat végé » est souvent une excellente épreuve pour reconnaître un vrai chef. Préparer une entrée au foie gras est à la portée de n'importe quel finissant de l'ITHQ. Impressionner avec une soupe de chou-fleur ou un flan de courge musquée rôtie[277], cela commence à ressembler à de l'art culinaire.

Par ailleurs, j'ai maintenant le courage de poser des questions : y a-t-il du bouillon de poulet dans votre sauce ? D'où viennent vos légumes ? Est-ce que je peux avoir de l'huile plutôt que du beurre ? Le plus souvent, les serveurs sont ravis de me répondre. J'ai eu quelques déceptions mais bien souvent, j'ai pu constater que les chefs aiment relever le défi de cuisiner un peu différemment.

Mon budget s'en est-il ressenti ? Pas vraiment. En fait, en remplaçant les protéines animales par des protéines végétales, j'ai réalisé des économies. Quand on coupe le beurre, on peut en garder l'argent ! Par contre, j'achète davantage de produits biologiques et équitables. D'ailleurs, même s'il en coûtait un peu plus cher de bien manger et même si l'on parle de la flambée des prix des aliments, la plupart d'entre nous pourraient se le permettre. Au Canada, nous consacrons aujourd'hui 9 % de notre revenu à l'alimentation. C'est l'une des proportions les plus faibles des pays développés (en Italie et en France, par exemple, la proportion est de l'ordre de 15 %). Et dans les années 1960, c'était près de 20 %[278]! Nous avons de la marge.

QUELS GESTES POUR QUELLES VALEURS?

Autour de moi, de plus en plus de personnes prennent conscience des conséquences éthiques de leurs choix alimentaires. Les enjeux du point de vue de la santé, de l'environnement et du bien-être animal sont trop importants pour n'y voir qu'un simple effet de mode. Certains se tournent vers le bio ou l'équitable. D'autres mangent moins de viande ou refusent l'élevage industriel. Plusieurs deviennent végans ou sont en passe de le devenir. D'une manière ou d'une autre, chacun participe à l'évolution de la société québécoise vers une meilleure alimentation.

Toutes ces options ne sont pas moralement équivalentes. L'équitable et, dans une moindre mesure, le biologique témoignent d'une solidarité envers des travailleurs trop souvent exploités. C'est une bonne chose, même si cela ne nous libère pas de notre devoir d'appuyer des organismes d'aide au développement comme Oxfam. Choisir des aliments peu transformés ou cultivés avec le moins possible d'engrais et de pesticides minimise notre empreinte écologique. Cette approche environnementale implique aussi de réduire sérieusement sa consommation de viande et de la choisir dans des élevages bio.

Mais tous ces gestes demeurent insuffisants par rapport au bien-être animal. Peu importent les moyens employés pour les amener de la naissance jusqu'à l'abattoir, les animaux que nous mangeons n'échapperont jamais complètement à la souffrance. Je crois que ce n'est pas parce que les animaux sont incapables de décrire leur souffrance que nous devrions traiter celle-ci différemment de la nôtre : j'ai beau tourner et retourner le problème dans tous les sens, je ne vois pas comment mon plaisir gustatif pourrait justifier la souffrance, même réduite au minimum, d'un être sensible.

Ces principes peuvent sembler difficiles à mettre en pratique, car ils supposent de changer nos habitudes. Il ne s'agit pas de juger ceux qui s'en pensent incapables. Chacun doit faire de son mieux. Faire de son mieux, c'est mieux que de ne rien faire du tout.

La piste politique

On dit parfois qu'acheter, c'est voter. Nos choix de consommateurs ont effectivement une incidence directe sur l'industrie agroalimentaire. Acheter de la façon la plus juste et équitable possible est à la portée de chacun d'entre nous. Qui plus est, une fois l'habitude acquise, cela ne demande vraiment pas de grand sacrifice. Il est même gratifiant d'accorder ses pratiques à ses valeurs. En ce sens, c'est bien le minimum (ou le bien minimum !) que nous puissions faire.

Malheureusement, ce n'est pas suffisant. Nous avons la chance de vivre en démocratie : acheter ne nous dispense pas de jouer notre rôle de citoyen. L'évolution morale des sociétés doit, tôt ou tard, se traduire dans ses institutions collectives. Il est clair que l'industrie agroalimentaire, laissée à elle-même, ne deviendra jamais vertueuse, saine et transparente. Seuls l'État et les institutions publiques ont le pouvoir d'orienter la politique agricole, de baliser les pra-

Je mange avec ma tête

tiques de l'industrie ou de réformer la législation sur l'environnement et le bien-être animal. En tant que citoyens du Québec, nous avons donc le devoir de militer (et de voter!) pour que l'État agisse dans ce domaine. Voici quelques pistes pouvant favoriser des politiques publiques progressistes.

- Lier le soutien de l'État aux bonnes pratiques agricoles: compenser les pertes des producteurs qui améliorent les conditions d'élevage ou qui essaient de réduire l'usage des antibiotiques.
- Légiférer sur les conditions d'élevage. De par le monde, l'amélioration à grande échelle du bien-être animal est toujours venue par la législation: abolir l'élevage des veaux en stalles, retirer les cages de gestation pour les truies, sortir les poules pondeuses de leurs cages.
- Renforcer les normes d'étiquetage: OGM, espèces de poissons, conditions d'élevage... Pourquoi ne pas indiquer sur les emballages les produits alimentaires cruels ou nocifs pour l'environnement, comme on le fait pour la cigarette?
- Reprendre le leadership dans la recherche sur l'agriculture: jusque dans les années 1980, les semences utilisées au Canada provenaient à 95 % du gouvernement[279]. Aujourd'hui, les agriculteurs canadiens dépendent de multinationales.
- Donner l'exemple en n'offrant que des aliments sains dans les établissements publics comme les cafétérias des écoles. L'arrivée des Tim Hortons dans les universités et les hôpitaux[280] ne semble pas aller dans ce sens!
- Aider les familles à plus faible revenu: créer des marchés fermiers dans les quartiers défavorisés.
- Instaurer une «taxe verte» sur la viande pour compenser son coût environnemental.

Changer d'option par défaut

Je suis bien consciente que la société québécoise ne changera pas du jour au lendemain. La majorité de mes amis sont encore omnivores ! Il existe évidemment un attachement culturel à la viande, doublé de la pesanteur de l'habitude. Et souvent aussi, de l'indifférence : on mange simplement ce qu'on a sous la main. L'expression n'est pas qu'une métaphore.

Imaginez une cafétéria ordinaire pleine d'étudiants ordinaires. Comme dans toutes les cafétérias ordinaires d'Amérique du Nord, on y mange gras, sucré et carné. On n'y mange pas beaucoup de légumes. Imaginez maintenant qu'on procède à quelques modifications : on place des légumes comme le brocoli en début de file plutôt qu'au milieu, on donne une description plus complète des plats santé (« sauté de tofu au maïs et gingembre » plutôt que « tofu »), on présente les oranges et les pommes dans des bols de fruits plutôt que dans des saladiers en acier, on installe le bar à salade juste à côté des caisses... Résultat : les étudiants se serviront 15 % plus de brocoli, 27 % plus de tofu, deux fois plus de fruits et trois fois plus de salade[281] !

Comme je le disais plus haut, plusieurs mangent de la viande *par* indifférence. C'est peut-être regrettable, mais la bonne nouvelle, c'est qu'ils en mangent aussi *avec* indifférence ! La preuve : il suffit de leur mettre des légumes sous la main pour qu'ils oublient leur burger-frites. En économie comportementale, c'est ce qu'on appelle la « théorie du coup de pouce ». L'idée a été popularisée en 2009 par l'économiste Richard Thaler et le juriste Cass Sunstein dans leur livre *Nudge*[282]. Études à l'appui, les auteurs militent pour un « paternalisme libertaire » : on peut influencer positivement le comportement des gens (c'est l'aspect paternaliste) tout en leur laissant la liberté de choix (c'est l'aspect libertaire). Cette influence peut viser la santé, mais, pourquoi pas, aussi l'environnement et le bien-être animal.

L'idée, c'est donc de laisser les burgers offerts à la cafétéria, mais de rendre les options végé et durables plus attirantes. Trop souvent, l'option par défaut qu'on nous propose est « viandeuse ». On mange de ces plats sans vraiment les apprécier : la viande ne goûte absolument rien (ou rien de bon), mais elle était à portée de main. Pourquoi ne pas changer cette option par défaut ? Les organisateurs d'une conférence ont tenté l'expérience. Le menu « de base » était végé, mais les participants pouvaient commander de la viande : 80 % ont opté pour les légumes[283]. Si dans les cafétérias des écoles ou des hôpitaux, dans les banquets ou les avions, on adoptait cette approche, combien commanderaient des repas gras, sucrés et carnés ? Notre société pourrait ainsi engranger les bénéfices d'une alimentation plus saine et éthique sans pour autant brimer la liberté de choix des individus.

Certains diront que ce serait abuser des gens (abuser de leur indifférence). Or, quoi qu'on fasse, il existe toujours une option par défaut. J'ai grandi dans une société où la cafétéria d'école servait du porc, des burgers et du poulet. J'ai contribué pendant de longues années à faire tourner les usines à viande. Pourtant, je n'ai jamais eu l'impression de l'avoir choisi. Je ne crois pas non plus que, collectivement, nous ayons choisi le système agroalimentaire actuel qui engendre la souffrance animale et la pollution environnementale. On l'accepte parce qu'il est là, voilà tout.

Si on comprend la logique de l'option par défaut, on comprendra aussi qu'on peut en généraliser l'application : ne pas agir, c'est encore agir. Laisser faire, c'est aussi faire un choix. Car, en attendant, le climat se réchauffe, des milliards d'animaux souffrent « loin des yeux, loin du cœur » et tous les humains ne mangent pas à leur faim. On peut faire des erreurs, mais je crois qu'on doit éviter d'en refaire ou de ne rien faire lorsque notre action pourrait améliorer les choses.

En définitive, manger avec sa tête, c'est comprendre que nos choix alimentaires ne peuvent pas ne pas avoir de conséquences. Tout peut donc se résumer par une seule question : voulons-nous que ces conséquences soient négatives ou positives ?

Pour joindre et suivre l'auteure :
elise.desaulniers@gmail.com

penseravantdouvrirlabouche.com
Twitter : @edesaulniers
facebook.com/penseravantdouvrirlabouche
Google+ : gplus.to/elisedesaulniers

BIBLIOGRAPHIE SÉLECTIVE

Livres

Bekoff, Marc, *The Emotional Lives of Animals*, New World Library, 2008.

Braithwaite, Victoria, *Do Fish Feel Pain?* Oxford University Press, 2010.

Carson, Rachel, *Printemps silencieux*, Wildproject Editions, 2009.

Chopra, Chiv, *Corrompus jusqu'à la moelle*, Les éditions le mieux-être, 2009.

Coetzee, J.M., *The Lives of Animals*, Princeton University Press, 2001.

Crib, Julian, *The Coming Famine: The Global Food Crisis and What We Can Do to Avoid It*, University of California Press, 2010.

De Vienne, Philippe, *Les animaux souffrent-ils?*, Le pommier, 2008.

De Waal, Frans, *L'Âge de l'empathie: leçons de nature pour une société solidaire*, Liens qui libèrent, 2010.

Eastbrook, Barry, *Tomatoland: How Modern Industrial Agriculture Destroyed Our Most Alluring Fruit*, Andrews McMeel Publishing, 2011.

Eisnitz, Gail A., *Slaughterhouse*, Prometheus Books, 2007.

Fairlie, Simon, *Meat, A Benign Extravagance*, Permanent Publications, 2010.

Foer, Jonathan Safran, *Faut-il manger les animaux?*, Éditions de l'Olivier, 2010.

Greenberg, Paul, *Four Fish: The Future of the Last Wild Food*, The Penguin Press, 2010.

Griffin, Donald R., *Animal Minds: Beyond Cognition to Consciousness*, University of Chicago Press, 2011.

Iacub, Marcela, *Confessions d'une mangeuse de viande*, Fayard, 2011.

Jeangène Vilmer, Jean-Baptiste, *Éthique animale*, Presses universitaires de France, 2008.
— *L'Éthique animale*, coll. « Que sais-je? », Presses universitaires de France, 2011.

Kuyek, Devlin, *Good Crop/Bad Crop: Seed Politics and the Future of Food in Canada*, Between the Lines, 2009.

Lappé, Anna, *Diet for a Hot Planet*, Bloomsbury, 2010.

Maris, Virginie, *Philosophie de la biodiversité*, Buchet Chastel écologie, 2010.

McWilliams, James E., *Just Food: Where Locavores Get It Wrong and How We Can Truly Eat Responsibly*, Little Brown, 2009.

Nestle, Marion, *Food Politics: How the Food Industry Influences Nutrition and Health*, University of California Press, 2002.
— *What to Eat*, North Point Press, 2006.

Patel, Raj, *Stuffed and Starved: The Hidden Battle for the World's Food System*, Harper Perennial, 2009.
— *The Value of Nothing*, HarperCollins, 2009.

Pollan, Michael, *Nutrition: mensonges et propagande*. Thierry Souccar Éditions, 2008.

Pringle, Peter, *Food, Inc.* Simon & Schuster Paperbacks, 2005.

Proulx, Denise et Lucie Sauvé, *Porcheries! La porciculture intempestive au Québec*, Écosociété, 2007.

Proust, Brigitte, *Bel & bio: nature et chimie douce*, Seuil, 2010.

Regan, Tom, *The Case for Animal Rights*, University of California Press, 1983.

Reymond, William, *Toxic. Obésité, malbouffe, maladies: enquête sur les vrais coupables*, Flammarion, coll. « J'ai lu », 2007.

Robin, Marie-Monique, *Le Monde selon Monsanto. De la dioxine aux OGM, une multinationale qui vous veut du bien*, Stanké, 2008.
— *Notre poison quotidien*, Stanké, 2011.

Shiva, Vandana, *Soil not Oil: Environmental Justice in an Age of Climate Crisis*, South End Press, 2008.

Singer, Peter, *La Libération animale*, Grasset, 1993.
— *L'Égalité animale expliquée aux humains*, Tahin Party, 2007.
— *One World: The Ethics of Globalization*, Yale University Press, 2002.

Singer, Peter et Jim Mason, *The Ethics of What We Eat*, Rodale, 2006.

Stuart, Tristram, *Waste: Uncovering the Global Food Scandal*, Norton, 2009.

Thaler, Richard et Cass Sunstein, *Nudge,* Penguin, 2009.

Waridel, Laure, *L'Envers de l'assiette et quelques idées pour la remettre à l'endroit*, Écosociété, 2003.

FILMS

Alerte à Babylone : http://bit.ly/babylone

Earthlings (Terriens), Shaun Monson, doc., É.-U., 2005, 95 min (disponible gratuitement et en français sur le Web : bit.ly/terriens).

Food Inc., Robert Kenner, doc., É.-U., 2008, 94 min.

Forks Over Knives, Lee Fulkerson, doc., É.-U., 2011, 90 min.

Le Monde selon Monsanto, Marie-Monique Robin, doc., France, 2008, 108 min.

Les Glaneurs et la Glaneuse, Agnès Varda, doc., France, 2000, 82 min.

Meat the Truth, Karen Soeters et Gertjan Zwanikken, doc., Hollande, 2008, 74 min.

Nos enfants nous accuseront, Jean-Paul Jaud, doc., France 2008, 112 min.

Notre poison quotidien, Marie-Monique Robin, doc., France 2011, 113 min.

Our Daily Bread (*Notre pain quotidien*), Nikolaus Geyrhalter, doc., Autriche, 2008, 92 min.

Solutions locales pour un désordre global, Coline Serreau, doc., France, 2010, 113 min (http://bit.ly/solutionsglobales).

Super Size Me, Morgan Spurlock, doc., É.-U., 2004, 100 min.

Baladodiffusion

Ideas, « Have Your Meat and Eat It Too! », CBC, 2010
(http://www.cbc.ca/ideas/episodes/2010/05/17/
have-your-meat-and-eat-it-too-part-1-2-listen/).

NOTES

Avant-propos

1   Jean-Baptiste Jeangène Vilmer, *Éthique animale*, Presses universitaires de France, 2008.

Chapitre 1
Manger avec sa tête

2   Peter Singer et Jim Mason, *The Ethics of What We Eat,* Rodale, 2006.

3   Peter Singer, *Sauver une vie*, Michel Lafon, 2009, p. 17.

Chapitre 2
Visite industrielle à la ferme

4   Jonathan Safran Foer, *Faut-il manger les animaux ?*, Éditions de l'Olivier, 2010, p. 331.

5   Linda McCartney, *Home Cooking*, Bloomsbury Publishing, 1989.

6   Éleveurs de volailles du Québec, http://www.volaillesduquebec. qc.ca/fr/elevage/soins-aux-animaux (consulté le 4 février 2011).

7   Voir par exemple la Coalition canadienne pour la protection des animaux de ferme, http://www.humanefood.ca/frenchpage.html (consulté le 26 février 2011).

8   Presidents of the United States, http://www.presidentsusa.net/1928slogan.html (consulté le 5 février 2011).

9   Alberta Broiler Chicken Industry, http://www1.agric.gov.ab.ca/$department/deptdocs.nsf/all/pou3598 (consulté le 26 février 2011).

10 Le poulet du Québec, http://www.lepoulet.qc.ca/info-poulet/-propos-de-nous/lelevage (consulté le 26 février 2011).

11 Agri Réseau, *Évolution des fermes laitières québécoises de 1966 à 2007*, http://www.agrireseau.qc.ca/bovinslaitiers/documents/Evolution%20des%20fermes_2007.xls

12 Fédération des producteurs de porcs du Québec, http://www.leporcduquebec.com/la-federation-fr/production/le-portrait-economique/la-production-en-chiffres.php (consulté le 15 août 2011).

13 Denise Proulx, « Portrait de la situation porcine au Québec », dans *Porcheries! La porciculture intempestive au Québec*, Écosociété, 2007, p. 56.

14 Statistique Canada, *Bétail et aquaculture*, http://bit.ly/statcanbetail (consulté le 4 décembre 2010).

15 Raj Patel, *The Value of Nothing*, HarperCollins, 2009, p. 46.

16 Raj Patel, « Down the Clown », 4 septembre 2010, http://rajpatel.org/2010/04/09/down-on-the-clown/

17 Coalition canadienne pour la protection des animaux de ferme, *La Vérité sur nos aliments : le poulet à griller*, http://www.humanefood.ca/french%20pdf%20files/chicken-fr_revision_fin.pdf

18 La délicieuse image est de Jonathan Safran Foer, *op. cit.*

19 Échange de courriels avec Christian Dauth, directeur du marketing et des communications, Éleveurs de volailles du Québec, 22-25 mars 2011.

20 Vancouver Humane Society, Chicken Out!, http://www.chickenout.ca/opinions.html (consulté le 3 juin 2011).

21 Ryan Meunier et Mickey A. Latour, *Commercial Egg Production and Processing*, Purdue University, http://ag.ansc.purdue.edu/poultry/publication/commegg/ (consulté le 26 février 2011).

22 Martha Rosenberg, « Video Shows Price of Cheap Eggs: Chicks Ground Up Alive », *Foodconsumer*, 9 septembre 2009, http://www.foodconsumer.org/newsite/Watch-List/010920090834_video_shows_price_of_cheap_eggs_chicks_ground_up_al.html

23 Fédération des producteurs de porcs du Québec, bit.ly/qNJzmi (consulté le 12 juillet 2011).

24 Gro Masters (un fabricant de matériel d'élevage porcin), http://www.gromaster.com/index.php?option=com_

content&view=article&id=150&Itemid=162 (consulté le 26 février 2011).

25 notre-planète.info, « La réalité de l'élevage des cochons en France », 18 février 2011, http://www.notre-planete.info/actualites/actu_2713_elevage_cochons_France.php

26 Ministère de l'Agriculture, des Pêcheries et de l'Alimentation, *Stratégie québécoise de santé et de bien-être des animaux*, 2010, http://www.mapaq.gouv.qc.ca/fr/Publications/MAG1002_brochure_web.pdf

27 Fédération des producteurs de lait du Québec, *FAQ sur l'industrie laitière*, http://www.lait.org/fr/les-faq-interactives.php (consulté le 26 février 2011).

28 Agri Réseau, *op. cit.*

29 Veau de lait du Québec, http://www.veaudelait.com/produit/production.html (consulté le 26 février 2011).

30 Kimberly Sheppard et Tina Widowski, « The Transport Truck: A Pig's-Eye View », *CCSAW NEWS*, The Campbell Center for the Study for Animal Welfare, n° 21, p. 9.

31 Gail A. Eisnitz, *Slaughterhouse*, Prometheus Books, 2007, p. 102.

32 Réseau Action Globale, http://bit.ly/reseauaction (consulté le 5 février 2011).

33 Gail A. Eisnitz, *op. cit.*

34 *Ibid.*, p. 29.

35 Jonathan Safran Foer, *op. cit.*, p. 285.

36 *Ibid.*, p. 182.

37 Agence canadienne d'inspection des aliments, *Causes des toxi-infections alimentaires*, http://www.inspection.gc.ca/francais/fssa/concen/causef.shtml (consulté le 26 février 2011).

38 Saine alimentation Ontario, *Salubrité des aliments : comprendre les maladies d'origine alimentaire*, http://www.eatrightontario.ca/fr/viewdocument.aspx?id=309 (consulté le 26 février 2011).

39 Ian Lordon, « Et maintenant, le steak qui tue », *Courrier International*, 17 février 2011, http://www.courrierinternational.com/article/2011/02/17/et-maintenant-le-steak-qui-tue

40 CBC, « Supermarket Chicken Harbours Superbugs », *CBC News*, 10 février 2011, http://www.cbc.ca/news/story/2011/02/10/cons-supermarket-superbugs.html

41 Center for a livable future, http://www.livablefutureblog.com/2010/12/new-fda-numbers-reveal-food-animals-consume-lion%E2%80%99s-share-of-antibiotics/ (consulté le 5 février 2011).

42 Marie Nadeau, « L'antibio-résistance au Canada et au Québec », *La Terre de chez nous*, 3 février 2011, http://

www.laterre.ca/elevage/lantibioresistance-au-canada-et-au-quebec/

43   Santé Canada, *La Résistance aux antibiotiques*, http://www.hc-sc.gc.ca/hl-vs/iyh-vsv/med/antibio-fra.php (consulté le 19 février 2011).

44   Organisation mondiale de la Santé, *Résistance aux antimicrobiens provenant des animaux destinés à l'alimentation*, note d'information, 7 mars 2008, http://bit.ly/eoOF0z

45   Cité par Ian Lordon, *op. cit.*

46   Agence de la santé publique du Canada, *Résistance aux antimicrobiens*, http://www.phac-aspc.gc.ca/amr-ram/index-fra.php (consulté le 19 février 2011).

47   Stéphanie Bérubé, « L'agriculture au Québec: la grande mésentente », *La Presse*, 24 juillet 2010, http://www.cyberpresse.ca/actualites/elections-federales/enjeux/201007/23/01-4300914-lagriculture-au-quebec-la-grande-mesentente.php

48   Radio-Canada, « Du poulet sans antibiotiques: pas pour demain », *La Semaine verte*, 5 février 2011, http://www.radio-canada.ca/emissions/la_semaine_verte/2010-2011/chronique.asp?idChronique=133444

49   Ian Lordon, *op. cit.*

50   Cité dans Jonathan Safran Foer, *op. cit.*, p. 168.

51   Council for Agricultural Science and Technology, *Global Risk of Infectious Animal Diseases*, paper issue, vol. 28, février 2005.

52   Anabelle Nicoud, « Usine Olymel: les syndiqués acceptent une médiation préventive », *La Presse Affaires*, 31 janvier 2011, http://lapresseaffaires.cyberpresse.ca/economie/quebec/201101/30/01-4365246-usine-olymel-les-syndiques-acceptent-une-mediation-preventive.php

53   Eric Schlosser, *Fast Food Nation*, Harper Perennial, 2002, p. 160.

54   Ricardo Codina, « Le milieu agricole a un taux de suicide vertigineux », *La Vie rurale*, 10 février 2008, http://www.la-vie-rurale.ca/contenu/16896

55   Véronique Bouchard, *La Production sur litière: une piste de solution incontournable à la crise actuelle de l'industrie porcine*, Les publications ERE-UQAM, 2007.

56   Pierre Beaudet, *La Fertilisation et la gestion du risque agroenvironnemental*, conférence présentée dans le cadre du Colloque sur le phosphore de l'Ordre des agronomes du Québec, 2002.

57   Véronique Bouchard, *op. cit.*

58   Gabriel Béland, « Important déversement de purin dans une rivière », *La Presse*, 28 juin 2010, http://www.cyberpresse.ca/environnement/201006/28/01-4293713-important-deversement-de-purin-dans-une-riviere.php

59 Leo Horrigan *et al.*, «How Sustainable Agriculture Can Address the Environmental and Human Health Harms of Industrial Agriculture», *Environmental Health Perspectives*, vol. 10, n°5, mai 2002, http://www.ncbi.nlm.nih.gov/pmc/articles/PMC1240832/

60 D. Zimmer et D. Renault, «Virtual water in food production and global trade: Review of methodological issues and preliminary results», *Proceedings of the International Expert Meeting on Virtual Water Trade*, février 2003, p.102, http://www.fao.org/nr/water/docs/VirtualWater_article_DZDR

61 Brigitte Decrausaz, «Virtual Water and Agriculture in the Context of Sustainable Development», *OECD Workshop on Agriculture and Water*, 16 novembre 2005, http://www.oecd.org/secure/pdfDocument/0,2834,en_21571361_34281952_35590094_1_1_1_1,00.pdf

62 Chapagain et Hoekstra (2003) et Rahman (2009), cités dans N. Rahman *et al.*, *Leaky Exports, A portrait of the Virtual Water Trade in Canada*, Le conseil des Canadiens, 2011, http://www.ledevoir.com/documents/pdf/etude_eau.pdf

63 PETA, *Meat Production Wastes Natural Resources*, http://www.peta.org/issues/animals-used-for-food/meat-wastes-natural-resources.aspx (consulté le 8 juin 2011).

64 James E. McWilliams, *Just Food*, Little Brown, 2009, p.134.

65 *Ibid.*, p.135.

66 Henning Steinfeld *et al.*, *Livestock's Long Shadow – Environmental Issues and Options*, FAO, 2006, ftp://ftp.fao.org/docrep/fao/010/A0701E/A0701E00.pdf

67 OCDE, *Agricultural Policies in OECD Countries: monitoring and evaluation*, 2009, p.108-109.

68 Ministère de l'Agriculture, des Pêcheries et de l'Alimentation du Québec, *Donner le goût du Québec. Livre vert pour une politique bioalimentaire*, juin 2011, http://www.mapaq.gouv.qc.ca/fr/Publications/MapaqBrochureLivreVert.pdf

69 Peter Singer et Jim Mason, *op. cit.*, p.232.

70 Vaclav Smil, *Feeding the World: A Challenge for the Twenty-First Century*, The MIT Press, 2001.

71 Henning Steinfeld *et al.*, *op. cit.*

72 Organisation des Nations unies pour l'agriculture, *2050: 2,3 milliards de bouches de plus à nourrir*, http://www.un.org/apps/newsFr/storyF.asp?NewsID=20120&Cr&Cr1 (consulté le 5 février 2011).

73 Organisation des Nations unies pour l'agriculture, *FAOSTAT*, http://earthtrends.wri.org/ (consulté le 26 février 2011).

74 Viandes duBreton, http://www.dubreton.com/produits (consulté le 5 février 2011).

75 Jessica Belsky, «Are There Antibiotic-Resistant Bacteria Lurking in Your Chicken?», Change.org, 16 février 2011,

http://news.change.org/stories/are-there-antibiotic-resistant-bacteria-lurking-in-your-chicken

76   David Suzuki, « Le changement commence par ce qu'il y a dans notre assiette », http://www.davidsuzuki.org/fr/ce-que-vous-pouvez-faire/mangez-sainement/le-changement-commence-par-ce-quil-y-a-dans-notre-assiette/ (consulté le 26 février 2011).

77   Marie-Claude Lortie, « Bio ou budget », *La Presse*, 24 juillet 2010, http://www.cyberpresse.ca/chroniqueurs/marie-claude-lortie/201007/24/01-4300957-bio-ou-budget.php

78   Jonathan Safran Foer, *op. cit.*, p. 112.

Chapitre 3
Le poisson est-il spécial ?

79   Heather Pringler, « Cabot, Cod and the Colonists », *Canadian Geographic*, http://www.canadiangeographic.ca/special features/atlanticcod/cabot.asp (consulté le 5 février 2011).

80   Richard Wolkomir, « Review of *Cod: A Biography of the Fish That Changed the World* », *Smithsonian Magazine*, mai 1998, http://www.smithsonianmag.com/history-archaeology/books_review___a.html

81   N. H. Morse, *Section N : Pêches*, Statistique Canada, http://www.statcan.gc.ca/pub/11-516-x/sectionn/4057755-fra.htm (consulté le 26 février 2011).

82   *Ibid.*

83   David Jolly et John M. Broder, « U.N. Rejects Export Ban on Atlantic Bluefin Tuna », *New York Times*, 18 mars 2010.

84   Anonyme, « Le très convoité commerce du thon rouge », *L'Express*, 19 mars 2010.

85   Anonyme, *Évolution de la pêche déclarée de thon rouge entre 1950 et 2008*, http://www.lemonde.fr/planete/infographe/2010/02/03/thon-rouge-une-peche-en-recul-mais-toujours-importante_1300713_3244.html (consulté le 5 février 2011).

86   Anonyme, « L'interdiction du commerce de thon rouge rejetée », *Le Monde*, 18 mars 2010, http://www.lemonde.fr/planete/article/2010/03/18/thon-rouge-la-cites-refuse-de-suspendre-les-exportations_1321191_3244.html

87   Carl Safina et Dane H. Klinger, « Collapse of the Bluefin Tuna in Western Atlantic », *Conservation Biology*, vol. 22, n° 2, avril 2008.

88   Paul Greenberg, *Four Fish: The Future of the Last Wild Food*, The Penguin Press, 2010, p. 26.

89   *Ibid.*, p. 42.

90   *Ibid.*, p. 49.

91 Anonyme, « Que mangent les poissons qu'on mange ? », *Le Monde*, 22 septembre 2010, http://bit.ly/gpADOx

92 Ronald A. Hites *et al.*, « Global Assessment of Organic Contaminant in Farmed Salmon », *Science*, 9 janvier 2004, p. 226-229.

93 Renee Shettler, « Organic Isn't Always Best Label for Salmon », *The Washington Post*, 13 avril 2004.

94 Monterey Bay Aquarium, *Salmon*, http://www.montereybayaquarium.org/cr/SeafoodWatch/web/sfw_factsheet.aspx?gid=17 (consulté le 26 février 2011).

95 Barry Eastbrook, « The Solution to Unsustainable Aquaculture Swims in a Landlocked Industrial Park in Western Massachusetts », *Politics of the Plate*, 8 octobre 2010, http://politicsoftheplate.com/?p=652

96 Lisa Abend et Isla Mayor, « Sustainable Aquaculture: Net Profits », *Time*, 15 juin 2009, http://www.time.com/time/magazine/article/0,9171,1902751,00.html

97 About Seafood, *Top 10 Consumed Seafood (US)*, http://www.aboutseafood.com/about/about-seafood/top-10-consumed-seafoods (consulté le 26 février 2011).

98 Organisation des Nations unies pour l'agriculture et l'alimentation, *Disparition alarmante de mangroves*, 31 janvier 2008, http://bit.ly/i3vevu

99 Peter Singer et Jim Mason, *op. cit.*, p. 127.

100 Food and Agriculture Organisation of the United Nations, *The State of World Fisheries and Aquaculture 2006*, 2007, http://www.fao.org/docrep/009/A0699e/A0699e00.htm

101 Greenpeace, *Bycatch*, http://www.greenpeace.org/international/en/campaigns/oceans/bycatch/ (consulté le 26 février 2011).

102 *Ibid.*

103 Collectif, « Des poissons et des étiquettes », *L'Épicerie*, Radio-Canada, 31 mars 2010, http://www.radio-canada.ca/emissions/l_epicerie/2009-2010/Reportage.asp?idDoc=107668

104 Alok Jha, « Eat More Anchovies, Herring and Sardines to Save the Ocean's Fish Stocks », *The Guardian*, 18 février 2011, http://www.guardian.co.uk/environment/2011/feb/18/fishing-food

105 Jonathan Safran Foer, *op. cit.*, p. 240-241.

106 Victoria Braithwaite, *Do Fish Feel Pain?*, Oxford University Press, 2010, p. 159.

CHAPITRE 4
Est-ce qu'elle a eu mal, la petite poule?

107 Philippe de Vienne, *Les animaux souffrent-ils?*, Le pommier, 2008, p.8.

108 Howard J. Stang et Leonard W. Snellman, «Circumcision Practice Patterns in the United States», *Pediatrics, Official Journal of The American Academy of Pediatrics*, 1998, http://bit.ly/g3M0qt
Daniel Yawman *et al.*, «Pain Relief for Neonatal Circumcision: A Follow-up of Residency Training Practices», *Academic Pediatrics*, juillet 2006, http://www.ambulatorypediatrics.org/article/S1530-1567(06)00123-7/abstract

109 Howard J. Stang et Leonard W. Snellman, *op. cit.*, et Circinfo.net, http://www.circinfo.net (consulté le 5 février 2011).

110 Circumcision Information and Resource Pages, http://www.cirp.org/library/pain/ (consulté le 5 février 2011).

111 Victoria Braithwaite, *op. cit.*, p.43.

112 Jean-Baptiste Jeangène Vilmer, *L'Éthique animale*, coll. «Que sais-je?», Presses universitaires de France, 2011, p.16-19.

113 Alex Kirby, «Fish do feel pain, scientists say», *BBC News Online*, 30 avril 2003.

114 European Food Safety Authority, «Scientific Opinion of the Panel on Animal Health and Welfare on a request from European Commission on General approach to fish welfare and to the concept of sentience in fish», *The EFSA Journal*, 2009, p.1-26, http://www.efsa.europa.eu/en/efsajournal/pub/1966.htm

115 *Ibid.*, p.30.

116 Marc Bekoff, *The Emotional Lives of Animals*, New World Library, 2008.

117 Victoria Braithwaite, *op. cit.*, p.40.

118 Université McGill, *Le Cerveau à tous les niveaux*, http://lecerveau.mcgill.ca (consulté le 5 février 2011).

119 Définition du Robert.

120 Ned Block, cité par Victoria Braithwaite, *op. cit.*, p.78.

121 Peter Laming *et al.*, Université de Belfast, cité par Victoria Braithwaite, *op. cit.*, p.104.

122 Lesley J. Rogers, *The Development of Brain and Behavior in the Chicken*, Oxford CABI, 1996.

123 Jonathan Safran Foer, *op. cit.*, p.109-110.

124 Donald R. Griffin, *Animal Minds, Beyond Cognition to Consciousness*, University of Chicago Press, p.1.

125 *Crow Makes Tool*, http://www.youtube.com/watch?v=OYZnsO2ZgWo (consulté le 5 février 2011).

126 Victoria Braithwaite, *op. cit.*, p.108.

127 Speck Griffin, «New evidence of animal consciousness», *Animal Cognition*, janvier 2004, p.5-13.

128 Peter Singer et Jim Mason, *op. cit.*, p.275-276.

129 «*I think that at the moment we do not have sufficient evidence to conclude any invertebrate suffers from pain. I think we may want to err on the side of caution for squid and octopus (and perhaps crabs and lobsters) until we have done some definitive experiments that explicitly address the capacity for sentience in these creatures. But other than these species, I think we can safely conclude animals such as shellfish will not feel pain.*» (29 juin 2010)

130 Damian Carrington, «Insects could be the key to meeting food needs of growing global population», *The Observer*, 1er août 2010, http://www.guardian.co.uk/environment/2010/aug/01/insects-food-emissions

131 John Schwartz, «PETA's Latest Tactic: $1 Million for Fake Meat», *The New York Times*, 21 avril 2008, http://www.nytimes.com/2008/04/21/us/21meat.html

132 Harriet McLeod, «South Carolina scientist works to grow meat in lab», *Scientific American*, 31 janvier 2011.

133 Christopher Cox, «Consider the Oyster», *Slate*, 7 avril 2010, http://slate.me/eFr9Ma

Chapitre 5
Un souper chez Sarah Palin

134 Sarah Palin, *Going Rogue,* HarperCollins Canada, 2009, p.18.

135 Jean-Baptiste Jeangène Vilmer, *L'Éthique animale, op. cit.*, p.3.

136 Sarah Palin, *op. cit.*, p.133. Ici s'arrêtent les vraies citations de Sarah Palin: tout ce qui suit est purement fictif.

137 PETA, *Pope Benedict XVI Continues Tradition of Papal Concern for Animals*, http://www.peta.org/features/pope-benedict-xvi.aspx (consulté le 28 février 2011).

138 Plutarque, *Manger la chair: Traité sur les animaux*, Rivages poche/Petite Bibliothèque, Paris, 2002, p.30.

139 Nick Fox, «Mark Zuckerberg Says He's Only Eating Meat He Kills», *The New York Times*, 31 mai 2011, http://dinersjournal.blogs.nytimes.com/2011/05/26/mark-zuckerberg-says-hes-only-eating-meat-he-kills/

140 Yogendra Yadav et Sanjay Kumar, «The food habits of a nation», *The Hindu*, 14 août 2006, http://www.hinduonnet.com/thehindu/thscrip/print.pl?file=2006081403771200.htm&date=2006/08/14/&prd=th&

141 Peter Singer, *La Libération animale*, Grasset, 1993, p.36.

142 Peter Singer, «Le droit des singes — et des hommes», *Project Syndicate*, 15 juillet 2008, http://www.project-syndicate.org/commentary/singer38/French

143 Sarah F. Brosnan et Frans B. M. de Waal, « Monkeys reject unequal pay », *Nature*, n° 425, p. 297-299.
144 Frans de Waal, *Le Singe en nous*, Fayard, 2006.
145 Voir par exemple : Jean-Marie Schaeffer, *La Fin de l'exception humaine*, Gallimard, 2007.
146 En français, on peut lire une présentation de l'utilitarisme classique de Bentham dans : John Stuart Mill, *L'Utilitarisme*, Flammarion, 2008.
147 Jeremy Bentham, *An Introduction to the Principles of Morals and Legislation*, Clarendon Press, 1907, XVII, § I, IV, p. 311, note 1, cité dans J.-B. Jeangène Vilmer, *Éthique animale, op. cit.*
148 Peter Singer, *L'Égalité animale expliquée aux humains*, Tahin Party, 2007, p. 22, http://tahin-party.org/singer.html
149 PETA, *Hunting*, http://www.peta.org/issues/animals-in-entertainment/hunting.aspx (consulté le 28 février 2011).

Chapitre 6
La faim justifie-t-elle les moyens?

150 Norman Borlaug cité dans James E. McWilliams, *op. cit.*, p. 60.
151 Greg Easterbrook, « Forgotten Benefactor of Humanity », *The Atlantic*, janvier 1997, http://www.theatlantic.com/magazine/archive/1997/01/forgotten-benefactor-of-humanity/6101/
152 *Ibid.*
153 Rupert Cornwell, « Professor Norman Borlaug: Nobel Prize-winning scientist who boosted worldwide crop production and saved millions of lives », *The Independant*, 17 septembre 2009, http://www.independent.co.uk/news/obituaries/professor-norman-borlaug-nobel-prizewinning-scientist-who-boosted-worldwide-crop-production-and-saved-millions-of-lives-1788519.html
154 Population Reference Bureau, *World Population Data Sheet*, http://www.prb.org/pdf09/09WPDS_Eng.pdf (consulté le 5 février 2011).
155 Organisation des Nation unies, « Étude sur la situation économique et sociale dans le monde », 5 juillet 2011, un.org/en/development/desa/policy/wess/wess-current/2011/wess_overview_fr.pdf
156 Anne Minard, « "Dead Zones" Multiplying Fast, Coastal Water Study Says », *National Geographic*, 14 août 2008, http://news.nationalgeographic.com/news/2008/08/080814-dead-zones.html
157 Louis-Gilles Francœur, « Comme un poisson qui n'a plus d'eau », *Le Devoir*, 17 juillet 2010, http://www.ledevoir.com/

environnement/actualites-sur-l-environnement/292778/
comme-un-poisson-qui-n-a-plus-d-eau
Centre d'histoire de Montréal, *Expo 67 Le trentième
anniversaire!*, http://ville.montreal.qc.ca/portal/page?_
pageid=2497,3090612&_dad=portal&_schema=PORTAL
(consultés le 5 février 2011).

158   Rachel Carson, *Printemps silencieux*, Wildproject Editions,
2009.

159   Heather Somerville, « Lingering Doubts About DDT
and Malaria », *The Medill National Security Journalism
Initiative*, 10 juin 2010, http://medillnsj.org/06/2010/
medill-reporting/us-security-civil-liberties-reporting/
lingering-doubts-about-ddt-and-malaria/

160   Robert L. Kellog *et al.*, « Environmental Indicators of Pesticide Leaching and Runoff from Farm Fields », *National
Resources Conservation Service*, février 2000, http://www.
nrcs.usda.gov/technical/NRI/pubs/eip_pap.html

161   Anonyme, « World Pesticides Market », *Agronews*,
1er août 2010, http://news.agropages.com/Report/Report-
Detail---127.htm

162   Faune et flore du pays, *Les Pesticides et les oiseaux sauvages*,
http://www.hww.ca/hww2_f.asp?id=230&cid=4 (consulté le
5 février 2011).

163   Tina Phillips, « Pesticides and birds », *Birdscope*, été 2011,
http://www.birds.cornell.edu/Publications/Birdscope/
Summer2001/pesticides.html

164   Gouvernement du Québec, santé et services sociaux,
Pesticides, http://www.msss.gouv.qc.ca/sujets/santepub/
environnement/index.php?pesticides (consulté le 27 février
2011).

165   International Labour Organization, *ILO Warns on Farm
Safety Agriculture Mortality Rates Remain High Pesticides
Pose Major Health Risks to Global Workforce*, 22 octobre 1997,
http://www.ilo.org/global/about-the-ilo/press-and-media-
centre/news/WCMS_008027/lang--en/index.htm

166   Organisation mondiale de la santé, *Les enfants sont exposés
à des risques élevés d'intoxication par les pesticides*,
24 septembre 2004, http://www.who.int/mediacentre/news/
notes/2004/np19/fr/

167   World Resources Institute, *Agriculture Statistics: Pesticide
use (most recent) by country*, http://www.nationmaster.com/
graph/agr_pes_use-agriculture-pesticide-use (consulté le
27 février 2011).

168   Joanna Blythman, « Sweet, Healthy and Juicy... So Why
Are Pineapples Leaving a Bitter Taste? », *The Guardian*,
19 novembre 2006, http://www.guardian.co.uk/environment
/2006/nov/19/food.foodanddrink

169 Organisation internationale du travail, *Salariés agricoles : les plus pauvres d'entre les plus pauvres*, 23 septembre 1996, http://www.ilo.org/safework/areasofwork/lang--en/WCMS_117367/index.htm

170 Marie-Monique Robin, *Notre poison quotidien*, Stanké, 2011, p. 103-105.

171 Passeport santé, *Alimentation : craintes justifiées ou pas ?*, http://www.passeportsante.net/fr/Actualites/Dossiers/ArticleComplementaire.aspx?doc=manger_risques_fondements_do (consulté le 27 février 2011).

172 Marie-Monique Robin, *Notre poison quotidien, op. cit.*, p. 440.

173 Nicolas Mesly, « Fraises : Québec contre Californie, un combat inégal ? », *Protégez-vous*, mai 2010, http://www.protegez-vous.ca/sante-et-alimentation/fraises.html

174 Peter Singer et Jim Mason, *op. cit.*, p. 265.

175 « Mesures nécessaires pour réduire les pesticides des aliments au Québec », *Psychomédia*, 5 février 2011, http://www.psychomedia.qc.ca/pesticides/2011-02-05/mesures-reduction-quebec-inspq

176 Environmental Working Group, *The Full List: 53 Fruits and Veggies*, http://www.ewg.org/foodnews/list/

177 World Resources Institute, *EarthTrends*, http://earthtrends.wri.org (consulté le 27 février 2011).

178 Sophia Wu Huang, *Global Trend Patterns in Fruits and Vegetables*, United States, Department of Agriculture, juin 2004, http://usda.mannlib.cornell.edu/usda/ers/WRS//2000s/2004/WRS-06-01-2004_Special_Report.pdf

179 Emilio Godoy, « In Mexico, Poisonous Pesticides on the Doorstep », *Truthout*, 4 août 2010, http://www.truth-out.org/in-mexico-poisonous-pesticides-doorstep62018

180 Yang Yang, *Pesticides and Environmental Health Trends in China, A China Environmental Health Project Factsheet*, 28 février 2007, http://www.wilsoncenter.org/topics/docs/pesticides_feb28.pdf

181 Collectif, *Et l'homme créa la nature*, Les Archives de Radio-Canada, http://archives.radio-canada.ca/sciences_technologies/biotechnologie/dossiers/1646-11397/ (consulté le 20 décembre 2010).

182 République française, « Qu'est-ce qu'un OGM ? », ogm.gouv.fr, site interministériel, http://www.ogm.gouv.fr/article.php3?id_article=15 (consulté le 5 juin 2011).

183 *Croplife Canada*, http://www.croplife.ca/web/english/biotechnology/ (consulté le 26 février 2001).

184 James E. McWilliams, *op. cit.*, p. 91.

185 Monsanto, *Soya Roundup Ready*, http://www.monsanto.ca/seeds_traits/roundup_ready/soybeans/default_fr.asp (consulté le 26 février 2011).

186   James E. McWilliams, *op. cit.*, p. 96.

187   Gouvernement du Québec, *Source d'information sur les organismes génétiquement modifiés*, http://www.ogm.gouv. qc.ca/ogm_producteurs.html (consulté le 26 février 2011).

188   James E. McWilliams, *op. cit.*, p. 106.

189   FAO cité par Peter Singer et Jim Mason, *op. cit.*, p. 214.

190   Marie-Monique Robin, *Le Monde selon Monsanto. De la dioxine aux OGM, une multinationale qui vous veut du bien*, Stanké, 2008.

191   http://www.youtube.com/watch?v=wC0w6jc3A8c

192   Hervé Morin, «Aux États-Unis, du colza transgénique prend la clé des champs», *Le Monde*, 9 août 2010.

193   Alliance for Bio-Integrity, http://www.biointegrity.org/ (consulté le 26 février 2011).

194   Cité dans Elson M. Hass, *Staying Healthy With Nutrition*, Celestial Arts, 2006, p. 483.

195   Sarah Parson, «Big Ag Blocks Scientific Research of GMOs, Puts All of Us at Risk», Change.org, 16 février 2011, http:// news.change.org/stories/big-ag-blocks-scientific-research-of-gmos-puts-all-of-us-at-risk

196   Anonyme, «Doctors Warn: Avoid Genetically Modified Food», *Spilling the Bean Newsletter*, Institute for Responsive Technology, 1er mai 2009, http://www.responsibletechnology.org/ newsletters/224

197   Claudette Samson, «Étude sur l'impact des OGM : des pesticides dans le sang», *Le Soleil*, 20 avril 2011, http:// www.cyberpresse.ca/le-soleil/affaires/agro-alimentaire /201104/19/01-4391523-etude-sur-limpact-des-ogm-des-pesticides-dans-le-sang.php

198   D. Michaud *et al.*, «Incidence des OGM dans les aliments du Québec», étude présentée au ministère de l'Agriculture, des Pêcheries et de l'Alimentation du Québec dans le cadre du Projet CORPAQ/PRTB #505027, 2009.

199   FAO cité par Pierre Lefrançois et Léon René de Cotret, «Manger bio est-il toujours bon pour l'environnement?», *Passeport santé*, septembre 2009 (mise à jour), http:// www.passeportsante.net/fr/Actualites/Dossiers/Article Complementaire.aspx?doc=bio_environnement_do

200   Inspiré par Greenpeace et les normes biologiques de référence du Québec, http://www.greenpeace.org/canada/ fr/campagnes/ogm/Ressources1/Faits-saillants/ Lagriculture-ecologique-et-biologique/

201   Jenny Kendrick, *Le Bio : l'évolution d'un créneau*, Statistique Canada, http://www.statcan.gc.ca/pub/96-325-x/2007000/ article/10529-fra.htm#oacc (consulté le 19 février 2011).

202   Holger Kirchmann et Megan H. Ryan, *Nutrients in Organic Farming — Are There Advantages From the Exclusive Use*

of *Organic Manures and Untreated Minerals?*, 4th International Crop Science Congress, 2004, http://www. cropscience.org.au/icsc2004/symposia/2/6/828_kirchmannh. htm

203   Lars Attrup, « Les limites de l'agriculture biologique », *Le Courrier international*, 21 janvier 2010, http://www. courrierinternational.com/article/2010/01/21/les-limites-de-l-agriculture-biologique

204   Population Reference Bureau, *World Population Data Sheet*, *op. cit.*

205   Center for Global Food Issues, *Growing More Per Acre Leaves More Land for Nature*, http://highyieldconservation. org/index_fren.html (consulté le 26 février 2011).

206   Organisation des Nations unies, Département des affaires économiques et sociales, « Étude sur la situation économique et sociale dans le monde », 2011, p. 20, http://www.un.org/en/development/desa/policy/wess/ wess_current/2011wess_overview_fr.pdf

207   James E. McWilliams, *op. cit.*

208   ONU, « Étude sur la situation économique et sociale dans le monde », *op. cit.*

Chapitre 7
Les plats qui réchauffent

209   Ioannis Bakas, *Food and Greenhouse Gas (GHG) Emissions*, Copenhagen Resource Institute (CRI), 26 juillet 2010.

210   S. George Philander, *Encyclopedia of Global Warming and Climate Change*, Sage Publications, 2008, p. 211.

211   U.S. Department of Commerce, *National Climatic Data Center*, http://www.ncdc.noaa.gov/oa/ncdc.html

212   Peter Singer, *One World, the Ethics of Globalization*, Yale University Press, 2002.

213   Anonyme, « Global Warming May Hurt Some Poor Populations, Benefit Others », *Science Daily*, 1[er] mars 2010, http:// www.sciencedaily.com/releases/2010/02/100220184329.htm

214   Ressources naturelles Canada, « Trends in Greenhouse Gas Emissions, 1998 to 2010 », *The Atlas of Canada*, http://atlas.nrcan.gc.ca/auth/english/maps/climatechange/atmospherestress/trendsgreenhousegasemission/1

215   Guillaume Bourgault-Côté, « Une première au Sénat depuis les années 30 », *Le Devoir*, 18 novembre 2010, http://www.ledevoir.com/politique/canada/311225/ une-premiere-au-senat-depuis-les-annees-30

216   Peter Singer, *op. cit.*

217 Peter Singer, *Climate Change: Moral Wrongdoing by the Developed World*, conférence prononcée le 18 novembre 2010 à la Dominion Chalmers United Church (Ottawa).

218 World Resources Institute, *Greenhouse Gas Data*, cité dans Simon Fairlie, *Meat, A Benign Extravagance*, Permanent Publications, 2010, p. 177.

219 Ioannis Bakas, *op. cit.*

220 University of East Anglia, *Food and Climate Change: A Review of the Effects of Climate Change on Food Within the Remit of the Food Standards Agency,* Food Standards Agency, 2010, p. 70.

221 Christopher L. Weber et H. Scott Matthews, « Food-miles and the relative climate impacts of food choices in the United States », *Environmental Science and Technology*, 2008, vol. 42, n° 10, p. 3508-3513, http://pubs.acs.org/doi/full/10.1021/es702969F

222 Ben Adler, « Are Cows Worse than Cars? », *The American Prospect*, 3 décembre 2008, http://www.prospect.org/cs/articles?article=are_cows_worse_than_cars

223 Henning Steinfeld *et al.*, *op. cit.*

224 Voir notamment Simon Fairlie, *op. cit.*

225 Robert Goodland and Jeff Anhang, « Livestock and climate change », *WorldWatch Magazine,* nov.-déc. 2009, p. 10-19, http://www.worldwatch.org/files/pdf/Livestock%20and%20Climate%20Change.pdf

226 Gidon Eschel cité dans Ben Adler, *op. cit.*

227 Robert Goodland et Jeff Anhang, *op. cit.*, p. 11.

228 Stefan Wirsenius *et al.*, *Greenhouse Gas Taxes on Animal Food Products: Rationale, Tax Scheme and Climate Mitigation Effects*, National Climate Change Adaptation Research Facility, janvier 2011, http://piarn.org.au/resource/290

Chapitre 8
Finis ton assiette!

229 Statistique Canada, *L'Activité humaine et l'environnement: statistiques annuelles,* 2009, http://www.statcan.gc.ca/daily-quotidien/090609/dq090609a-fra.htm (consulté le 13 février 2011).

230 Steve Proulx, « Le gaspillage alimentaire », *La Vie en vert*, Télé-Québec, émission du 11 novembre 2009, http://vieenvert.telequebec.tv/occurrence.aspx?id=537 (consulté le 13 février 2011).

231 Timothy Jones, « America's Relationship with Food and Its Waste », *Food Ethics*, automne 2009, vol. 4, n° 3, p. 11.

232 Nadia Arumugam, « Ignore Expiration Dates », *Slate*, 17 février 2010, http://www.slate.com/id/2244249/

233 Collectif, « Wasting the Food that Feeds You », *The Early Show*, CBS, 23 juillet 2008, http://www.cbsnews.com/stories/2008/07/23/earlyshow/contributors/susankoeppen/main4285083.shtml

234 Tristram Stuart, *Waste: Uncovering the Global Food Scandal*, Norton, 2009, p. 102.

235 Agnès Varda, *Les Glaneurs et la Glaneuse*, 2000.

236 Tristram Stuart, *op. cit.*, p. 131.

237 *Ibid.*, p. 27.

238 *Ibid.*, p. 25.

239 Josée Duplessis, *Le Compostage facilité*, Nova Envirocom, 2006, http://www.recyc-quebec.gouv.qc.ca/upload/Publications/zzzGUIDE_177.PDF

240 Tristram Stuart, *op. cit.*, p. 11.

241 Martin Croteau, « Un bac de compostage à la maison d'ici 2014 dans le Grand Montréal », *La Presse*, 2 février 2010, http://www.cyberpresse.ca/environnement/201002/02/01-945354-un-bac-de-compostage-a-la-maison-dici-2014-dans-le-grand-montreal.php

242 Tristram Stuart, *op. cit.*

243 *Ibid.*, p. 79.

244 Ianik Marcil, « Pour la première fois de l'histoire, plus d'un milliard de personnes se coucheront tous les soirs le ventre vide », *Visions d'aurore*, 7 octobre 2010, http://bit.ly/mOZHVy

245 Jenna Johnson, « Cafeteria Trays Vanishing From Colleges in Effort to Save Food », *Washington Post*, 18 février 2011, http://www.washingtonpost.com/wp-dyn/content/article/2011/02/17/AR201121703343.html

CHAPITRE 9
L'éthique des étiquettes

246 Michael Pollan, *Nutrition : mensonges et propagande*, Thierry Souccar Éditions, 2008, p. 11.

247 Voir entre autres TJ Key *et al.*, « Health effects of vegetarian and vegan diets », *Proceedings of the Nutrition Society*, février 2006, vol. 65, n° 1, p. 35-41, www.martinfrost.ws/htmlfiles/july2008/epic_veg.pdf

248 World Cancer Research Fund, *Food, Nutrition, and the Prevention of Cancer: A Global Perspective*, American Institute of Cancer Research, Washington, DC, 1997, cité sur http://www.cancerproject.org/diet_cancer/facts/meat.php

249 American Dietetic Association ; Dietitians of Canada, « Position of the American Dietetic Association and Dieti-

tians of Canada: Vegetarian Diets », *Canadian Journal of Dietetic Practice and Research*, été 2003, vol. 64, n° 2, p. 62-81, cité sur http://www.passeportsante.net/fr/Nutrition/Regimes/Fiche.aspx?doc=vegetarisme_regime

250 Josée Blanchette, « La carnocratie », *Châtelaine* (blogue), 30 mai 2011, http://blogues.chatelaine.com/blanchette/?p=6033

251 American Dietetic Association, *Vegetarian Diets*, http://www.eatright.org/about/content.aspx?id=8357 (consulté le 26 février 2011).

252 Extenso, portail d'information de Nutrium, *Il faut combiner deux sources de protéines végétales au même repas pour assurer leur complémentarité*, http://www.extenso.org/mythes/detail.php/f/1715

253 Rémi Maillard, « Oméga-3: Peut-on éviter la surpêche ? », *Protégez-vous*, août 2010, http://www.protegez-vous.ca/sante-et-alimentation/omega3-surpeche.html

254 International Federation of Organic Agriculture Movements, http://www.ifoam.org/

255 La Fondation du Barreau du Québec, *L'Étiquetage des produits alimentaires et le développement durable*, 2011, http://www.fondationdubarreau.qc.ca/publications/etiquetage-aliments/index.html

256 Jean-François Gazaille, « Un label pour le non-bio ? », *Protégez-vous*, septembre 2010, http://www.protegez-vous.ca/label-pour-le-non-bio.html

257 Jenny Kendrick, *op. cit.*

258 Louis-Samuel Jacques *et al.*, *Étude sur la mise en marché des viandes biologiques au Québec*, Éco-Ressources consultants, 2006, p. 2, http://oacc.info/DOCs/Agri-reseau/viandes_biologiques_que_f_opt.pdf

259 Radio-Canada, *La Semaine verte*, 29 janvier 2011.

260 Circulaire IGA, semaine du 20 février 2011.

261 Rafaëlle Rivais, « Pas de rabais pour le bio », *Le Monde*, 29 janvier 2010.

262 Thierry Larivière, « Le lait biologique est-il trop cher ? », *La Terre de chez nous*, 29 juillet 2010, http://www.laterre.ca/elevage/le-lait-biologique-est-il-trop-cher/

263 Ellen Pay, *The Market for Organic and Fair Trade Coffee*, Trade and Market division, Food and Agriculture Organisation of the United Nations, Rome, 2009, p. 14, http://www.fao.org/fileadmin/templates/organicexports/docs/Market_Organic_FT_Coffee.pdf

264 Michael A. Clemens, « Smart Samaritans », *Foreign Affairs*, septembre-octobre 2007, http://www.foreignaffairs.com/articles/62849/michael-a-clemens/smart-samaritans
Andrew Chambers, « Not So Fair Trade », *The Guardian*, 12 décembre 2009, http://www.guardian.co.uk/commentisfree/

cif-green/2009/dec/12/fair-trade-fairtrade-kitkat-farmers

265   John Vidal et Paul Brown, « Feel-Good Factor », *The Guardian*, 20 mai 2005, http://www.guardian.co.uk/society/2005/may/20/environment.fairtrade

266   Andrew Chambers, *op. cit.*

267   Chiquita, *Sustaining Progress*, http://www.chiquitabrands.com/content/chiquitacr02envirosocial_01c_3.htm (consulté le 13 février 2011).

268   Peter Singer et Jim Mason, *op. cit.*, p. 165.

269   François Desjardins, « Six ouvriers mexicains ont gain de cause. Les travailleurs saisonniers ont le droit de se syndiquer », *Le Devoir*, 21 avril 2010, http://www.ledevoir.com/economie/actualites-economiques/287407/six-ouvriers-mexicains-ont-gain-de-cause-les-travailleurs-saisonniers-ont-le-droit-de-se-syndiquer

270   Radio-Canada, « La jungle des agences de placement », *Enquête*, 21 octobre 2010, http://www.radio-canada.ca/emissions/enquete/2010-2011/Reportage.asp?idDoc=122495

271   Jane Black, « A Squeeze for Tomato Growers », *Washington Post*, 29 avril 2009, http://www.washingtonpost.com/wp-dyn/content/article/2009/04/28/AR2009042800835.html

272   Barry Eastbrook, « Politics of the Plate: the Price of Tomatoes », *Gourmet*, mars 2009, http://www.gourmet.com/magazine/2000s/2009/03/politics-of-the-plate-the-price-of-tomatoes
Leonard Doyle, « Slave labour that shames America », *The Independant*, 19 décembre 2007, http://www.independent.co.uk/news/world/americas/slave-labour-that-shames-america-765881.html

273   Peter Singer et Jim Mason, *op. cit.*, p. 168.

274   Barry Eastbrook, « Tomato Update: Florida's Largest Tomato Grower Joins Coalition of Immokalee Workers' Fair Trade Program », *Politics of the Plate*, 25 octobre 2010, http://politicsoftheplate.com/?p=666

275   Peter Singer et Jim Mason, *op. cit.*, p. 141.

276   James E. McWilliams, *op. cit.*

CHAPITRE 10
Manger avec sa bouche

277   Les exemples proviennent du menu du restaurant *Les 400 Coups*, http://www.les400coups.ca/soir (en date du 26 février 2011).

278   Agriculture et Agroalimentaire Canada, *Les Dépenses pour les aliments et les boissons*, www.agr.gc.ca/AAFC-AAC/ display-afficher.do?id=1170942402619&lang=fra (consulté le 19 février 2011).

279   Devlin Kuyek, *Good Crop, Bad Crop: Seed Politics and the Future of Food in Canada*, BTL, 2007, p. 41.

280   Marie-Ève Fournier, « Universités et hôpitaux dans la mire — 900 Tim Hortons de plus d'ici 3 ans », *Rue Frontenac*, 5 mars 2010, exruefrontenac.com/affaires/ alimentation/18928-tim-hortons-900-restaurants

281   Brian Wansick *et al.*, « Lunch Line Redesign », *The New York Times*, 21 octobre 2010, http://www.nytimes.com/inter-active/2010/10/21/opinion/20101021_Oplunch.html

282   Richard Thaler et Cass Sunstein, *Nudge*, Penguin, 2009.

283   Hubert Guillaud, « L'étude des comportements peut-elle per-mettre de les changer? (2/4) Vers le paternalisme libertaire », Internetactu.net, 13 avril 2010, http://www.internetactu. net/2010/04/13/letude-des-comportements-peut-elle-per-mettre-de-les-changer-24-vers-le-paternalisme-libertaire/

INDEX

Suivez les Éditions Stanké
sur le Web :
www.edstanke.com

Cet ouvrage a été composé en Minion 12/14
et achevé d'imprimer en septembre 2011 sur les presses
de Imprimerie Lebonfon Inc. à Val-d'Or, Canada.

certifié   procédé   100% post-   archives   énergie
        sans chlore   consommation   permanentes   biogaz

Imprimé sur du papier 100 % postconsommation,
traité sans chlore, accrédité Éco-Logo et fait à partir de biogaz.